中公新書
ラクレ
244

関根眞一

となりのクレーマー

「苦情を言う人」との交渉術

中央公論新社

はじめに――苦情学は人間学

「クレームは宝の山」という言葉があります。クレームの現場は人間のナマの姿がむき出しになるところ。その対応はまさに真剣勝負の連続です。

そしてクレーム対応は、実際にはかなり厳しく、何度やっても楽しいものではありません。しかし、真剣勝負での対応を経ることで、さまざまな教訓が「宝」として得られるのも、また事実でしょう。

私はサービス業の大手百貨店で、「お客様相談室」を担当していました。最初に「お客様相談室長」になったのは大阪の八尾です。そこで二年ほど勤務したのち、宇都宮、つくばを経て、最後に池袋で終わりました。地方店の「お客様相談室長」は、店舗の社員教育部長を兼務していました。こうして、苦情対応の世界にどっぷり浸かっていたのです。

この間、毎日のように届く苦情やクレームの内容には、びっくりすることの連続でした。

「世の中にはなんと数多くの苦情があるのか」と思い、唖然《あぜん》とさせられたこともたびたびです。

現代では、苦情やクレームは、百貨店だけが受けるわけではありません。学校や病院でも、教師や医師が苦情を受ける可能性は高くなっているようです。また、地域生活で近隣とのトラブルなども目立つようになっています。ひょっとして、クレーマーはあなたの「となりにいる」のかもしれないのです。そうした意味も込めて、本書のタイトルを『となりのクレーマー』としました。

日本も個人の主張が強いアメリカ型社会になりつつあり、ひとつ間違えれば、誰もが苦情やクレームを受ける立場になってしまうことも珍しくないでしょう。

苦情処理のポイントは、相手の「人間」を知ること。そして迅速と誠意が大切であり、それが解決につながります。

長年の経験の積み重ねで、今ではどんな苦情でも対応に戸惑うことはなくなりましたが、苦情処理にさいし、「人間学」として学ばせてもらう事例はたくさんあります。苦情処理の現場は、相手の心理を読み取るためのヒントに満ちているのです。

イチャモンを言う。無理難題をふっかけてくる。詐欺師のようなクレーマー。

どこまで話を聞き、対応するのか。どこから毅然《きぜん》と臨むのか。

そして、「まともな苦情」とそうでないものは、どのように見分けるのか。

そのコツは、本書で紹介したさまざまな例を知ることから、見いだされるものでしょう。


この本が、読者のみなさまの、人間をとらえる新たな視点づくりに役立つことになれば、著者としてこれほど嬉しいことはありません。

目次

はじめに――苦情学は人間学　3

クレーマーとは　15

第一章　クレーマー物語――絡《から》まった糸はなかなか解けない　17

第一話　婚約指輪　19

異様な光景／再び事件勃発／苛立ちの原因／褒めることの効用

○コラム【クレーマー物語　病医院編】1▼強気は損気　21

第二話　六〇日の攻防……そして　30
水コンロ事件／「それは詐欺だろう」／手作りの部屋／七四万円？／半値買いを正価で引き取らせていた！／「会社の誠意を見せろ」／修羅場／怪しげな人物の登場

○コラム【クレーマー物語　病医院編】2▼「客層」の悪化　32

第三話　ヤクザとの対決　58
宝飾売り場の怒声／傷だらけの顔／勝負の分かれ目／露骨なカネ目当て／係長の機転／異常な反応の理由

第四話　軟禁事件　74
「未定」騒動／ひとまずの終息／クレーマーの再登場／「ふざけんな！」／自宅での対決、第一幕／静行話法／別のネタがあった！／攻防戦は演技戦／「懐ろに飛び込む」方法

○コラム【クレーマー物語　病医院編】3▼ひとりで対応するな　76

第五話　婦人服売り場の怪事件、三題　99
毛皮事件／斜傾／ブラウスの背中

第六話　賞味期限　109
クレーマーにあらず？／購入したのは別の客だった／保健所登場／改善指導／ゆすり特有の会話／最後の攻防

○コラム【クレーマー物語　病医院編】4▼大切なのは「安全・安心・信頼」　111

第七話　靴下問答　126
営業マンふう／愉快犯タイプ／大きな声をこちらも出す／「たかり」を逃がすな

○コラム【クレーマー物語　病医院編】5▼言うほうも「体力」が必要　129

第八話　二人のクレーマー～銀行員と公務員　134
高速代を出せ！／閉店一〇分前の訪問客
第九話　被害額は二円？　141
つり銭不足事件／怒鳴り声にスタッフが逃げ出した／暖簾に腕押し／二円にも命がある

第二章　苦情社会がやって来た！　149

格差意識が苦情を生む？／新人とプロ／デリケートな対応が必要／誰の立場に立つのか／苦情処理のゴールとは／落としどころが見つからない／一般社会の苦情／「知識」の必要性／教師と医師をめぐる変化

第三章　クレーム対応の技法　169

【基本的対応】　171

1　非があれば、真摯な態度で謝罪をする
2　お客様の申し出は、感情を抑え素直に聞く
3　正確にメモを取る
4　説明は、慌てず冷静に考えてする
5　現場を確認する
6　対応は迅速にする
7　一般の苦情客を、クレーマーに仕立てない
8　苦情対応は平等に

「誠意ある対応」とはどういう態度か／謝れなかった失敗例／謝り方にもコツがある／「苦情震度」を記録する／心理的変化の察知／苦情でない苦情／「負の勲章」のありがたさ

○コラム【百貨店・苦情処理の現場から】

1★相手が名前・住所を言わない場合　173
2★店長を呼べ、と言われた場合　175
3★やめさせろ、と言われた場合　177
4★苦情処理は「勝ったら負け」　179
5★相手の狙いを悪いほうに想定して臨め　181
6★「立場の違い」を心得ておくことが重要　183
7★販売当事者が、実は苦情の原因に気づいていない場合　185
8★やんわりと気づかせる工夫　187
9★相手よりわずかに下の位置、が解決のポイント　189
10★大きな声を出された場合　191
11★「誠意を見せろ」に要注意　193

あとがき　195

本文DTP／高輪出版社

となりのクレーマー

「苦情を言う人」との交渉術

クレーマーとは

本書では、イチャモンをつける人、理不尽な要求をする人、無理難題を言って楽しむ人など、私を成長させてくれた人に対して、当時の記録からクレーマーと呼ばせていただきました。

「クレーマー」とは、企業・医院・学校・行政その他において、必要でない顧客を指します。どんな顧客でも、意見の中には提案としてありがたくいただくものや、企業や行政などの戒めとなるものが存在します。

しかし、まさに快楽として「困らせよう」としている人、大きく常識を逸脱し、度を超えて意見をする人、詐欺行為に近い行動で金品を求める人には、徹底した対抗が必要になります。彼らがクレーマーです。

とはいえ、人は生き物ですから、クレーマーかどうかはその人の変化も含めて検討することは大切でしょう。

クレーマーの共通項は、以下のようにまとめられます。

●通常では苦情と言えないようなものを、大げさに取り上げる
●苦情の連続技を持つ（一事象の流れの中で、複数の苦情を訴える）
●過去の苦情被害を持ち出し、自分を優位に置く
●相手とのやりとりをいわば「苦情ゲーム」化し、愉《たの》しむところがある
●恐喝には至らないが、対応が困るように脅しを仕向けてくる
●訴えが一か所でなく、関連先全体に苦情として申し入れをしてくる
●現場で話をすれば、解決できるようなことを、本部や関連各所に申し入れる
●こちらの社長名を出したり、知人の存在を誇示して圧力を掛ける
●一度は気持ちよく解決しても、解決していない。次に来ない保証はまったくない
●外部の人も、多くがクレーマーと認めている
●家族も知っている
●相手が困るのを面白がる「愉快犯型」と、結果として金品を求める「要求型」がある

上記の中でどれだけ当てはまるかにより、企業や自身の組織などにとってのプラスとマイナスを計って対応することをお勧めします。

第一章

クレーマー物語

絡《から》まった糸は
なかなか解けない

第一話　婚約指輪

異様な光景

ご結婚を控えた女性は美しいものです。この話に登場する二〇歳代の女性もその一人でした。この人、Aさんは官庁宿舎にお住まいの方です。

それは、婚約指輪を買うところから始まりました。商品は婚約用のペアリングです。

Aさんは、以前からご贔屓《ひいき》のお客様で、店舗にも時々お見えになっていました。

その日は、嬉しそうに婚約者同伴です。寄り添うように商品を選び、お二人の意見が一致するのにそう時間はかかりませんでした。それぞれの指輪にはイニシャルを入れることにして、出来あがり日を記入したお誂《あつら》え伝票を、お持ち帰りいただきました。

そのさいも、担当した社員に向かって、二人のなれそめや今後の計画を楽しく雑談して、お帰りになりました。

一週間ほど経ってから、Ａさんに連絡を入れました。

「指輪のサイズ調整が出来あがりました。ご都合のよいときにご来店ください」

「近日中に行きます」

とのお返事です。おめでたい商品ですから、売り場としては、すぐに喜んでご来店いただけると思っていました。しかしＡさんは、なかなか見えません。

そこで、販売担当者は、再度ご来店のご案内をしました。

これに対し、Ａさんから売り場のリーダーへ苦情の電話が入ったのです。

「彼がすでに海外に出ており、一緒に取りに行けないことは分かっているでしょう。先日、担当の人にもよく話したじゃないの。なんでできないことを言うの？　どうしてそんな意地悪をするのか、説明に来てください」

どうやら「二人で来て」と言われたことに対して、クレームをつけてきたようです。

（もしかして、婚約者と喧嘩《けんか》でもしたのか）

私たちは、そうも考えました。

報告を受けた女性の係長が、先方の指定どおり、まずは電話で謝罪をしました。しかし、

クレーマー物語　病医院編　**コラム1**

▼強気は損気

あるドクターに、「患者さんからは、どんな苦情がありますか」と質問したことがあります。すると彼は、「苦情は30年間、まったくない」と言い、しかも、「苦情を言う患者は弁護士に任せて、50万程度なら払って縁を切るよ」と、豪快に笑い飛ばしたのです。

この返事には軽い冗談があるにしても、私は少し疑問を感じました。

「この医院は、この先、５年ともたないかもしれない」

そう思ったのです。

理由は、クレームを大事《おおごと》と考えない事業体に対して、かえって悪意を持ったクレームを示してトラブルを引き起こす「招かざる人」が、集中することがあり得るからです。

なぜかというと、細かいクレームに対して真摯《しんし》に対応している事業体には、隙《すき》がありません。「クレームはトラブルになる」という、危機意識を持っているからです。

一方、「クレームごとき」と、軽い要望すら無視するような態度のところは、一見、クレームに強そうに見えるのですが、逆にクレームが大きくなり、トラブルに発展する場合が多いのです。

このような事業体は、強気一本ゆえに、トラブルに対する場合のノウハウを持っていません。トラブルが大きくなると、あわててしまい、すぐにお金で解決しようとする傾向が見られるようになります。これは最悪の対応です。

これは、「悪性トラブルスパイラル」と言うべきもので、非常にリスクの高い状態を招く結果となるでしょう。次々と慰謝料名目のお金が出ていく一方で、「客層」は悪化。評判は不可逆的に低下していきます。

Aさんは、昼間と同じことを延々と話すだけでした。

そこで、訪問して謝罪しようと訪問日時を確認すると、「明日の夜九時にしてください」とやや常識外ともいえる時間を指定してきたのです。

顧客の詳細を、接客した販売員に聞いてみると、感情の起伏が激しく、女性には敵対的な態度や言葉で接し、男性には普通に話すと言います。のちほど何人か登場しますが、クレーマーは男性が圧倒的に多く、女性は珍しいものです。

訪問は夜遅いため、女性係長ひとりでは無用心であり、私も付き添いで同伴しました。延々二時間半の会話は、同じことの繰り返しと、自分が勤めている会社の自慢です。どうやらAさんには、販売業についている者に対するさげすんだ見方がしみついているように、感じられました。

当方としては失礼を詫《わ》びましたが、その光景は異常でした。

説明は玄関で行いました。説明を受けるAさんは、私たちの訪問と同時に一度部屋に消え、椅子を持ち出し、自分だけ腰掛けて話を聞いたのです。

この間、私たちは寒い玄関でずっと立ったままでした。

後日ご来店いただくことで、その日の話は、ようやく終わることができました。

再び事件勃発

そして来店予定の日。売り場では、販売員が緊張してAさんを待っていました。うっかりした対応をすると、どんなことを言われるか分からなかったからです。対応は、売り場の責任者がすることに決めました。でもその日、結局Aさんは見えません。

そしてAさんは、この三日後に突然、来店したのです。もちろん一人で、です。不思議なことに、その日はたいへん機嫌よく話をされました。出来あがった指輪を受け取り、婚約者のぶんはフランスの彼の元に送って、自分の誕生日に日本とフランスで同時に指に通すのだ、と言っていました。

販売員は丁寧に説明をしたうえで、箱に入れ、保証書を同封して、個別の袋に男性・女性の見分けがつくようにしてお渡ししました。これで完了、のはず……。

ところが二週間ほどして、事件が発生したのです。

フランスの彼に送ったほうは女性物で、手元に残ったほうが男性物だ、という苦情の電話がAさんからありました。

Aさんは、すでに狂乱気味です。

「せっかく楽しみにして、私の誕生日に離れている二人が同時に封を開けて、お祝いをすることで送ったのに、台無しじゃないの。最初から二人で指輪を取りに行けるわけがないのに、いつも『お二人で』と言うし、この気持ちをどうしてくれるの。これからどうするか、そちらで考えて夜九時に電話をください」

Aさんは一方的にまくしたてます。原因を確認していくと、どうやら「そちらが保証書の入れ間違いをした」とのこと。Aさんは自分のものも開封することなく、大切にしたまではよかったのですが、紙袋の中にある保証書を信じ、男性ものの保証書入り女性用の指輪をフランスに送ってしまったという次第です。

販売側は、「そんな間違いはしない」と言います。しかし、ここではお客様を信じてよいと、私は判断しました。なぜなら、そんな間違いを故意に起こしてお客様が得になることはないのですから。

係長も販売員も、課長でさえ疑っておりましたが、私はピシャッと言い切りました。「お客様を信じよう」と。この場合、百貨店としては、間違いがなかったことを証明するのは難しいのです。

苛立《いらだ》ちの原因

さてそれからが大変です。

対応を考えているうちに、Aさんから、今度は「夜の一〇時に来てくれ」との電話が入りました。女性係長に課長が同伴して、謝罪とともに、対応の説明のために再度、訪問したのです。

Aさんは、「二人で行けるわけはないのに、『二人で来い』と言われた」と前回のクレームを繰り返し、「そのうえ保証書を入れ間違えられて迷惑した。私たちの大事な行事に水をさしたことに対して、どうしてくれるのか」とかんかんです。

Aさんはさらに、「売り場は最初から対応が悪い」とか、「電話での話し方がなっていない」というように、延々と非難を浴びせます。

あげくの果てに、私どもが提示した案では時間がかかる、として、「こんな手法がよいのではないか」と逆提案を受ける始末です。

フランスの国内郵政事情をよく知っている様子です。どうやらAさんの父親は、その関係の官庁勤めかと思いたくなるほどでした。

苦情はずっと続き、夜一一時を回りました。

結局、Aさんの言うとおり、航空会社と回収業者経由で商品を戻し、こちらからは手元にある男性のものをフランスに送ることで、話がまとまりました。もちろん経費はこちらの全額負担です。航空会社、回収業者ともに、Aさん指定のところでした。

ここで一件落着かと思いきや、その後またトラブルが発生したのです。

婚約者の会社に回収に行った業者が、指輪を空港に持ち込んだところ、金（ゴールド）の入った商品は海外への持ち出しがしにくく、税関で引っかかってしまった、ということでした。実はこの指輪には金が含有されておらず、持ち出すことはできるはずなのですが、税関はその判定ができなかったようです。

この事実を知ったAさんのいらつきは頂点に達しました。私のいる「お客様相談室」にまで、直接、電話がかかってきました。

二〇歳代で若いのに、かなり言葉きつく話します。また命令調で話してきます。またAさんは、海外知識も豊富でした。

私はストーリーを全部聞いておりましたから、話は上手《うま》く合わせられました。

婚約者とは、離れていてなかなか会えない苛立ちが、言葉の端々に感じられます。

「もうすべてがめちゃくちゃよ。こんなことでうまく結婚できるかな、と思ってしまう」

こうなると、じっくり聞いてあげることが大事です。時間をかけてAさんの話を聞いてあげているうちに、その苛立ちはだいぶおさまってきました。

そこで、いったん電話を終えてから、改めて担当者から電話を入れさせました。どう対処したら税関を通過できるかを確認し、お電話で報告する、と担当者はAさんに伝えました。

その後、会社の物流網を使い、なんとかフランスの業者と連絡がとれ、無事に税関を通過するめどが立ったのです。

その間にも、Aさんからは、「これで彼とだめになったら、どうしてくれる」との苦情が売り場に入ってきたそうです。物言いはまた、強烈に販売員を見下したものです。

結局、また女性の係長は休日の夜九時に訪問しました。前回と同じように、Aさんは椅子を持ってきて座り、訪問者は玄関に立ったまま。こちらも慣れてきました。

係長は今後の対応を説明して、やっと承諾を得、いちおうはこれで解決しました。

褒めることの効用

Aさんはすぐに、他人に嚙《か》みつくクセがあります。またやや「そううつ」気味のところも。

さらに自分の仕事が他人のそれより優れていると思い込み、販売業を見下す姿勢は一貫していました。

私はAさんを「女性ヤクザ」だと感じたくらいです。言葉の使い方、話の持っていき方、そしてすべて自分の思うようにしていくやり方が、いかにもヤクザの対応に似ていたからです。ヤクザとの対応も、こちらは豊富に経験していたものですから。

やがて、商品は無事に日本に戻ってきました。事件が解決したのち、Aさんから一度、電話をもらいました。

そのときの話は、あるブランドについて、「本店で扱いがあっても、テナント等で出店している店舗では扱えない商品がよくある」という指摘です。Aさんはよくそのブランドを研究しているらしく、その商品がこちらの店舗にないことに、不満をもらしていました。

Aさんの注文であっても、こちらの店舗には納品されないのだそうです。Aさんは百貨店で買ったときに付けてもらうポイントのことも考えて、こちらで購入したかったのだそうですが、諦《あきら》めて店頭にあるもので決めて、購入したといいます。

さらに一か月ぐらい経ったある日。内容は忘れてしまいましたが、Aさんから再び電話がかかってきました。ある社会現象に対して、当百貨店ではどう判断するか、といったような内容でした。先方は名乗らなかったので、最初は誰からの電話か分からなかったのですが、話している途中でAさんだと分かりました。

最初からどうも変な話し方でした。なにか「引っかけてやろう」というようなものです。引っかかったら絡《から》まれそうな話法でしたので、今度も慎重に対応しました。充分に注意したせいか、一〇分弱で何ごともなく終わりましたが、こうしたエピソードからも分かるように、彼女は常に、どこかに不満をぶつけて生きるタイプだったようです。

なお、「そううつ」傾向の方からの苦情はよく受けましたが、陽気なときのほうが、私はやりづらかったです。「うつ」のときに、先方の気分をよくする話法は難しくありません。しかし、「そう」は、ちょっとでもおかしな話をすると突っ込まれます。話すときは、注意が必要で、言葉を充分に吟味しなければならないのです。

「そう」の状態のときは、聞き役に徹することです。

また、相手の心理状態（Aさんの場合は、うまく結婚までこぎつけることができるか、心配している点）を慎重に読んで、対応することは欠かせません。

Aさんとのやりとりのさいは、見えない婚約者の男性を褒《ほ》めあげました。それがうまくおさまった理由の一つかもしれません。

なお、Aさんはその後も店によく現れました。何事もなかったような態度でした。

第二話　六〇日の攻防……そして

水コンロ事件

トラブルの発生原因に、「言った」「言わない」があります。

ここで紹介する例は、「普通のコンロと言った」と言い張るお客様、六七歳の男性Bさんとの長い長い戦いです。

事件は二〇〇二年の秋に起こりました。Bさんは妻と二人づれで来店。インテリアの和食器売り場でのことでした。妻は五〇歳代半ばくらいです。

当日、Bさんは卓上コンロを買いに見えたのです。自宅に客を招いて食事をするときに使うためでした。

販売にあたったのは、すでに七年勤めるパートタイマー。一四名いる社員のなかでもベテラン組の一人です。

Bさんはまず、店頭で商品を探していました。売り場内には、たくさんの卓上コンロと水コンロが展示してありました。

いくつか見ていくうちに、Bさんは、お気に入りの水コンロを見つけて、カウンターに持参しました。その売り場では、商品名カードが入ったケースが置いてあり、そこから取ったカードを持参するか、希望する商品を係員に伝えることで対応していました。とくに大きな商品については、商品名カードをカウンターまで持参してもらうことになっていたのです。

しかしBさんは、コンロの現物をカウンターまで持ってきました。

このときに、販売員と次の問答を交わしました。これがあとで争点となります。

Bさん「これは普通のコンロか」

販売員「普通のコンロです」

水コンロとは卓上で使用するコンロ。陶器でできており、炭を入れて火をおこし上に網を置いて野菜や魚肉を焼きますが、熱が下に伝わらないように、もう一回り大きい陶器に水を張ってコンロ受けとしているものです。熱で水が減ったら、そのつど補充するわけで、水を張った陶器とテーブルの間には、断熱強化のために、さらに一センチ程度の厚さの陶器の敷

「当該時点での医学水準に準拠していることを、前提とする」

と解釈されていますが、当然、医学水準は日々進歩していますし、加えて、要求される医学水準が医療機関の規模（クリニック、2次医療機関、専門病院など）によって違いがあり、時代によって要求水準の「流行」のようなものがあるのです。

もし、医事紛争などで「医学水準」が争点となるとき、文書主義（＝医療判断を明確に支持する論文の提示を求める）という厳しいものから、かなり現場の裁量権を認める場合まで、非常に幅広い解釈がなされますが、その基準が曖昧です。

実は、このような場合、「騒いだほうが勝ち」となるケースが少なくないのです。しかし、いずれの場合でも、「いつ」「何を」「なぜ」「どのように」行ったのか、客観的に証明できれば問題にはなりません。トラブルに発展するリスクが高いと判断されますから、必ず相手に断ったうえで、会話を録音するなどの対応が必要でしょう。

板を置いています。

Bさんは、持参した「水コンロ」を買い求めて、お帰りになりました。ここからはお客様であるBさんのお話を、そのまま書きます。

〈一一月末に世話になっている人を自宅にお招きし接待した。そこで今回買い求めたコンロを卓上で使用した。すると途中から、下の敷物が熱を持って熱くなり、私がコンロをはずし、来客が敷板をどけた。

▼「客層」の悪化

　もし、ある人物に慰謝料が支払われた、という情報が「その筋」に流れると、シノギ（＝反社会的集団の収益活動）になると見て、餌食になる場合があるので、要注意です。

　病医院でのことを、例にとりましょう。

「その筋」の人間は、一見普通の患者を送り込んできます。

　予想される手口としては、まず数回来て、治療のさいに細かい訴えをします。

「痛みが取れない」

「ものが噛めない」

「頭痛がする」

「眠れない」等々。

　それに対し、一般の患者だと思っている医師は、通常考えられる対応をします。そのひと言ひと言が、すべて相手に記録されているのです。時には、治療ミスを感じさせる答えを誘う訴えもしてきます。

　このときの、「通常の対応」というものがクセ者です。法的には、

来客が敷板をどけるさい、その敷板も熱を帯びており、持つことができなかった。そこで、引きずってテーブルの下に下ろした。そのさい、テーブルに引っかき傷ができた。さらに見ると、テーブルは熱によって塗料が変色していた。〉

　こうした苦情を持って、Bさんは売り場にやって来ました。受け付けた女性販売員は、ことの重大さに驚き、責任者である係長に話をつなげます。

さっそく係長は店頭にやって来ましたが、Bさんは見つかりません。当日は日曜日で混んでもいましたが、結果、Bさんの妻が係長に気づき、Bさんと会うことから話し合いが始まりました。

Bさんから内容を聞かされた係長は、「改めてご連絡をし、出向きます」と答えました。いったんBさんには帰ってもらいましたが、のちのちにこのときの対応の悪さも苦情になったのです。

「それは詐欺だろう」

帰宅したBさんから、さっそく電話がありました。

最初に苦情を言いに行ったさい、「なぜ責任者は、苦情を言われたそのときすぐに、『一緒にまいりましょう』と言わないのか」とのお叱りです。

そして、「テーブルの傷を見に来なさい」とBさんは命令口調で言います。係長はすぐに、Bさんの自宅まで出向きました。

訪問してみると、改築して和風に仕立てた四畳半くらいのお部屋があり、その真ん中に大きな一枚板のテーブルがありました。サイズは一五〇×八〇センチ、厚さは一〇センチくらい。うす黄色くあめ色に塗りがしてありました。

そのほぼ中央にうっすらと、黄色の輪ができており、そこから三〇センチくらいの細い引っかき傷が伸びていました。

係長はまず、型どおり、今回の非をお詫《わ》びしました。

しかし、Bさんはいきなり係長を責め立てました。最初は対応の悪さからです。たくさんの事例を使って責め立てます。

「だいたい今日、売り場に苦情を言いに行ったとき、なぜすぐに『お供します』と言わなかったのか。そのくらいの気持ちがなくて、何で責任者がつとまるのか」

「当日も、私の家内が先に、私を探しているあなたを見つけた。全体的に教育されていないことが分かる。あなたはそんな立場に本来、置けない人物ではないか。幹部に言って指導をしてもらわなければならないだろう」

こういった調子です。

そして、肝心の「水コンロ」のやりとりとなりました。

「あなたの目の前にあるコンロは、普通のコンロですか、水コンロですか」

Bさんは係長に質問しました。

「これは水コンロです」

係長はそう答えました。

「それは大きな問題だ。なぜなら私は、『普通のコンロ』と確認して、買って使用したんだよ。結果はこのとおり。テーブルに大きな傷をつけ、焦がした。どう責任を取るのか」

「……」

「『水コンロではない』というので買った商品が、実は『水コンロだった』と言われては、困る。それは詐欺だろう。そうは思いませんか、如何ですか」

このように質問調の言い方が続きますが、うっかり返事はできません。

仕方なく、係長は、ハッキリしないで頷《うなづ》くような頷かないような応対を繰り返しました。

当然、係長は、「詐欺でした。申しわけありません」とは言いません。

係長の脳裏にあるのは、(最初に対応したのはベテラン社員であり、こんな単純なミスをおかすはずはない)との確信だったようです。だから余計に、心のなかで、「相手が難癖をつけている」と感じていました。

Bさんは他の店舗でどういう対応をしているのかについて、説教調に延々と話したそうです。しかし、聞かされる係長も販売経験が長く、第一線のプロなのです。素人のBさんから言われても、素直に「そうですか。こちらが間違っていました」と受け入れるはずはありません。

係長はBさんが、「自分はすごいんだ、何でも知っているんだ」と伝えることで、交渉を有利に持っていこうとしているのではないか、と感じていました。

そうこうするうちに、Bさんはついに、要望を出してきました。

「このテーブルを元の姿に戻してください」

当然、係長の判断ではうかつな返事はできません。

相手のBさんも、どうやらこうした駆け引きには慣れている様子でした。係長が結論を出せないことを見越して、執拗《しつよう》に攻めてきます。

一時間近く経って、「あなたでは結論を出せないでしょう、責任の取れる人を連れてもう一度来てください」と、Bさんは切り出しました。

「来ていただきたい時間については、こちらからまた電話します。そちらの態勢が整ったら、一報ください」

Bさんがこう言うことで、その日のやりとりは終わりました。

手作りの部屋

係長は帰社し、課長を伴って部長へ報告に来ました。

部長は、お客様相談室長も話に入ってくれとのこと。さっそく私も参加し、対応会議に切り替え、対策を練りました。攻防戦の開始です。

立場が違い、企画会議等では意見の割れるメンバーでしたが、こういうときは本当に心が一つになって、事態にあたります。ただお客様であるBさんの要望をどうするか、になると、意見は分かれました。

係長からは、「金品目あてである」「クレーマー」「金に困っている」「たかりや」「ヤクザ」などの言葉が出てきます。係長もそうとうアタマに来ている様子です。

過去の記録を調べてみました。さらに慎重に暴力団関係、前科者等々の情報を確認していきます。幸いというか今回は、何も情報が出ず、「一般の市民で、少々たかりの癖がある」との人物像だと分かりました。

対策会議の結論から、次回は係長と私が、Bさん宅を訪問することになりました。

指定日はその数日後です。

車で四〇分ぐらいのところにある新興都市の旧市街地。そのはずれにBさんの自宅はありました。

一見人のよさそうな笑顔で、私たちを玄関へ迎え入れます。

自宅の外見は平屋のトタン屋根、さして大きくない家で、門から玄関のドアまで一・五メートルくらいでした。周りには植木が少々、お部屋に入ると四畳半ほどの部屋。和風に改築したのは、Bさんの「手作り」だと言います。

「手作り」だと聞いて、私はいちおう褒めることとしました。

庭は変則の形で狭いのですが、大きな庭石があります。部屋で手元の電源を入れると、三種類の噴水が出る装置がありました。「凝り性の趣味人のようだが、変わった人だな」と直感しました。

七四万円？

今回の訪問は、Bさんの申し出とその狙《ねら》いを確認するのが目的ですから、じっくり腰を落ち着けて聞くようにしました。

「この傷が分かりますか」

Bさんの問いかけに対して、私は「ここですか」と言いつつ、そこのかすかな色変を指差しました。

「そうです。しかもこの傷もそうです」と言って、Bさんは引きずった傷を指差します。そのうえで、「このバリ（製品のへりなどにできた余計な部分）はどうお考えですか」と、陶磁器の敷板を差し出しました。

私は手にとって、底辺にあたる部分をなでてみました。確かに数多くのバリがあります。

「バリがあるでしょう。あなたが今、手にしたように、普通はこの質問に対し、下部を確認するはずですよ。最初に店に行ったとき対応した販売員は、敷板の側面をなでて『何でもないですよ』と言ったのです。少しおかしいと思いました。あきれましたよ」

Bさんの話は続きます。「そして、対応に出たこの係長は」と彼を指差し、「『お客様が大変だ、すぐに行動しなければならん』とは思わないで、のんびり構えていました。せめて『すぐ確認に行きます』という態度がなかったのは、どういうつもりでしょうか。客である私が困っているのに、『後でいいや』と考えたのですか」

やがて、テーブルの説明が始まりました。係長は前回も聞いていることですから、心の中で「また始まったな」と思っている顔をしています。

その話は私も聞いていたので、同じことを言っているのは分かりました。きっとBさんは、

「簡単に納得するわけではないぞ」とPRしたのだと思います。こちらとしては、「しっかり聞いて対応しますよ」という姿勢を見せることにしました。

「このテーブルは、私が以前所有していた別荘のテラスに置いてあったもので、テーブルの足を切って適当な高さにし、この部屋に持ち込んだものですよ。世界に二台とないものです。ダメになったからといって、買ってくるというわけにはいかないんですよ。もともとの買値だって、当時一台七四万円もしたんです」

と、さっそく牽制球を投げ始めました。

実は、「七四万円」と聞いたとき、噴き出す寸前だったのです。言われてよく見ると、確かに大きいのは事実です。しかし、もともとはテーブルの中央に何かあり、それを切った跡がありました。他にも何か所か、穴埋めしたうえから安いニスでも塗ったようなところがあります。今、街頭で売っていたら、中古で高くても三万円程度の代物です。

私はその切った跡を何げなく指しました。Bさんはたちまち言いわけを始めました。

「別荘時代、調味料が置けるようについ立を立てていましたが、それを切った跡です」

Bさんは続けて、自分の自慢話を始めました。

「自分は四〇歳頃まで、大手電機メーカーS社に勤めていたのです。その頃、住宅産業が好景気に突入する時代で、社内の部下三名を連れて独立しました。そのとき、まず考えたのは社員の教育ですよ。あなたもいろいろお困りであろうが、社員の教育ほど大変なことはないはず。幸いにして当社は、真面目に指導したおかげでどこからも指差されることなく、多くのお客様に信頼されて順調に成績を伸ばしたんです」

なにか、こちらの社員教育が悪いと言いたげです。

半値買いを正価で引き取らせていた!

そして、ようやく本性が現われるときがきました。Bさんは、過去の自慢話を始めたのです。

「以前、T百貨店が新装開店のとき出かけたことがあった。寝具の売り場でふと見ると、非常に質のよさそうな毛布が定価の半値で売られていた。そこで私は娘のために二枚買ったんだ」

まずは、以前駅前で買った毛布の話です。

「『明日までの三日間限り、開店記念』と書いてあった。よい買い物をしたとそのときは思ったよ。しかし、家に持ち帰りさっそく使わせたところ、『肌にあたりチクチクする』と娘が言うではないか。これは困った。商品が悪いのだろうと思い、返金または交換してもらおうと出かけていったんだ」

どうやらBさんは、クレームをするのに「慣れている」様子でした。

「するともう販売期間をすぎているのに、まだたくさん積んであり、同じ値段で売っている。『おかしいな』と思い販売員に確認すると、『お客様に好評だったので、また仕入れて販売しています』と言うではないか。私は直感で、売れてないから置いてあるので、ウソを言っていると思った」

Bさんは怒って、責任者と話をさせろ、と求めたそうです。

「責任者はすぐやって来たよ。私の追及にすぐに白状した。『売れなかったんです』とね。私は買った商品は非常に悪いものだと説明をし、返品を受けるように言ったんだ。そうしたら、その責任者は立派な者で、正価販売の二万円で、毛布を二枚とも引き取ってくれた。これはすばらしい対応だった」

(そうか、半値で買ったのに正価で引き取らせたのか)と思い、こんな無理をさせるというのなら、そのうちBさんは自分で墓穴を掘るな、と直感しました。

Bさんは調子に乗ってよほど無防備になったのか、まだ別の話を続けます。

「あるスーパーで米を買った。家で炊いてみたらなんだか臭い。さっそく店長に電話をして呼びつけたんだよ。店長は、『自分たちは悪くない。仕入れたバイヤーが悪い』と言って、今度はそのバイヤーを電話で探し出した。バイヤーは遠方の県にいるらしく、電話口でグダグダ言いわけをした。ついにこちらも怒って、『何時になってもいいから来い』と呼びつけた。その者が来たのは遅くて夜一〇時頃になっていたが、こちらの勢いに驚き、慌てて謝罪に切り替えた。しかし私は『許せない』と言って、この部屋で店長と話をしている間、バイヤーをそこに立たせておいた」

ここまでするのは、常軌を逸しており、ひどいものです。

叩くともっと埃《ほこり》が出そうでした。

私たちは、そんな話の最中でも、頭の中は冷静に、自分たちの事案の解決だけを考えていました。

確かに一部の傷は商品のバリのせいのようです。もし取引先がＰＬ（製造物責任）法の保険をかけていたら対象になるかな、という考えが頭をよぎりました。

一般に、製品により何らかの事故が発生し、身体や財産に被害・損害が生じた場合、ＰＬとして対応する場合がある。製造物責任法（ＰＬ法）の対象となるのは、製品の引き渡し時点よりその製品に「欠陥」があって、その欠陥のために「被害・損害」が生じた場合です。

「会社の誠意を見せろ」

Bさんの自慢話はそのうち終わり、話は当方の「水コンロ事件」に戻って、いよいよ核心のところとなります。

「室長さん、このテーブルをどうしますか」

どんな手法で私を満足させますか、と言っているのです。

ただ一つの答えを除けば、何を言っても無駄な答えになりそうでした。

その「ただ一つ」とは、「＊＊万円を出すので代替品を買っていただけますか」です。

そう持ちかければ、「さすがだ。充分にその気持ちは伝わった」などと言いながら、Bさんは満足したでしょう。

しかし、クレーマーの難癖を終わらせるためにお金を出す、というのは、やってはいけないことです。

私はしばらく困ったふりをして、時間をかけてじらすことにしました。

そして、「全面を腕のよい大工に削らせ、塗装して戻させていただけますか」と切り出しました。

もし、「それでよい」と言われたら逆に困るところでした。しかし、相手は拒否するのが分かっています。過去の「自慢話」からも推測されたように、Bさんの目的は「難癖をつけてお金を引き出す」ことにあるのは明白でした。

案の定、Bさんはムッとして返事をしました。

「何を言っている！　あなたは何も分かっていないじゃないか。これを削って修理をするとどうなるか。この部屋の調度品はすべて、同じ時間を経過して同じ傷み方をしているんだよ。そこへ全面きれいなテーブルが入ったことを想像してみなさい。おかしいでしょう？」

Bさんは続けて、「まあ、ここであなたに即決させるのには無理がある。持ち帰って会社で検討してください」と言います。

お金を払いましょう、と言えば解決します。でもそれを抑えたままでの攻防戦でした。

私はここで、ズバリ聞き返しました。

「Bさん、私は持てる限りの情報と最善の方法で対応させていただけるよう、説明させていただいたつもりです。それがダメとなると、社に戻ってもそれ以上の対応はなかなかできないと思います。何かよい方法はございますか」

Bさんは、「それを満足させるのが、あなたの仕事だ」と言います。

「それではもう一段技術のよい塗師を見つけ、この部屋のムードに合わせた色合いを出せるようにしましょう」

「分かってないな。それでは削った分テーブルが低くなるではないか」

想像していた答えです。「あーそうですね」と、大きく納得して見せます。そしてついに、しびれを切らしたBさんが決定的な提案をしてきました。

「室長、方法は一つ。これはお金で解決しましょう」

すかさず聞きます。

「それはどのくらいを」

「それはあなた方の会社の誠意です」

これで目的は達しました。そこまで聞けば、もう用はありません。

「かしこまりました。さっそく帰り、検討してお返事いたします。少しお時間をください」

「いつになりますか」

「お客様のご都合は？」

「四日後は居ます」

「それでは午後四時でよろしいですか」
「結構です」
このやりとりののち、係長とお暇《いとま》しました。この日の攻防は終わりです。

修羅場

社に帰り、店長をはじめ総務部長、販売部長そして係長と打ち合わせに入りました。結論としては、お客様の使用ミスであり、PL法の説明が付いていた（説明書が二枚つき、箱にははっきり「水コンロ」と書いてある）ことなどを考えると、そもそも百貨店側で補償することではないのです。

ただし、Bさんは「販売員が『水コンロではない』と言ったから、水を入れなかった」と言っています。私は、バリがあるのは不良品だ、と主張しました。

どっちにしても、説明に行くのは私ですから、話し方と対応に苦慮します。

私は取引先を呼んでバリの確認をしました。さすがに営業員もその不良を認め、「PL保険がかかっているので確認してみます」とのことでした。

数日後、取引先より「PL保険の返事が来た」との連絡が入り、「最大五万円の保証まで出る」とのことです。

Bさんは、たぶん五万円では収まらないでしょう。しかし、これ以上支払うことは絶対にありえません。

五万円を支払うこと自体も、対応のしすぎかもしれません。なぜなら、使い方が悪かったのはBさんで、当方はただ、「言った、言わない」に対して、折れているだけでした。

この「言った、言わない」の問題になると、Bさんと販売員の一対一の問答であって、証明が立ちません。こうなると、顧客優位とみるのが百貨店の基本です。

「年末の二二日、または二三日に電話をくれ」とのことで、一二月二三日に電話をしましたが、相手は留守。仕方なく明日電話をすることを、留守電に入れました。

明日は街や家庭はクリスマスイブ。こんな日に、苦情処理にあたっているわけです。しかし、百貨店に勤めた以上これは覚悟のこと。

その二四日、出先から電話を入れました。Bさんが出ました。「年末は忙しくなったので、来年にしましょう」と言います。双方のスケジュールをすり合わせ、一月の一五日ということで決まりました。自分としても会社としても、解決してよい正月を迎えたいのですが、長い経験から、解決を急ぐのは禁物だと考えていました。

約束の一五日。今回は決裂する可能性が充分にあります。

実際、たいへんな修羅場となりました。

部屋に通されて話をしようとしたところ、いきなり先制攻撃が来ました。同席した係長に対して、「コンロを持って来ましたか」と言うのです。

「いいえ」

「なぜ持って来ないのだ。先日話したとき、『これに代わるコンロはある』と言ったじゃないか。なぜ手ぶらで来た！」

ひどく大きな声を出し、興奮して見せます。

私はひとまず黙っていました。さらに係長への「お叱り」は続きます。

「私は、あなたを教育しているんだ。今から会社に行って、コンロを持って来なさい。その往復に一時間ぐらいかかるだろうから、その時間が無駄になる。その待つ時間の補償費用は一万円だ。ここに一万円を出せ！　ここに一万円を置いてから行って来い！」

確かに前回、「コンロはある」とは言いましたが、一度として「交換する」とか「持参する」とかは言っていないのです。先制攻撃を繰り出して、脅そうと考えたのでしょう。

一五分もそんな話をしたのち、Bさんはまた先日の話を繰り返しました。自分は若くして独立し今日を築いた、との話です。そのあとで私に向かって促しました。

「ところで、前回持ち帰ったことの、会社のお返事はどうなんですか。出方によっては、本部にも社長さんにも手紙を書く用意をしております。どうぞ言ってください」

私は説明を始めます。

「もう一度確認をさせていただきましてから、お返事をさせていただきます。B様はご自宅で開封してご使用になる前に、使用説明書一枚と取り扱い説明書が一枚あったのは、ご存知ですよね」

「あったかもしれないが、見ていないよ」

「箱に『水コンロ』と書いてあったのは、見えましたよね」

「見てない！」

「分かりました。今回の敷板にバリがあるのはPL法で認められました。それはご迷惑をかけましたので、修理代として五万円用意させていただきます。これが当社のお答えでございます」

Bさんの顔は、みるみるうちに怒りに充ちてきました。

「お話にならないよ。こんなこげ傷をつけられて、テーブルを台無しにされて、たった五万円で『分かった』と言えますか。納得できません」

この返事は当然のものと予測しておりました。もちろん、答えは一切、変えません。

「ご意向にそえず申しわけございませんが、これは最初で最後のお返事でございます。どうかご了承ください」

「あなたの……」とBさんは言い始めました。「あなたの態度は誠に不愉快だ。どうして詫《わ》びる、ということができないのか。お金の問題じゃあない。お客様に対して本当に申しわけないと思ったら、礼を尽くして詫びるのが先だろう。お宅はどんな躾《しつけ》をしているのか。社長に手紙で抗議するから、もういい！　あなたはどこかへ飛ばされるだろうが、それは仕方のないことだ、身から出たさびだよ」

この手のお客様からよく言われる台詞《せりふ》が、ぽんぽんと飛び出します。

そうか、頭を下げて詫びることか。いや待てよ、最初に訪問してきたときから何回もお詫びはしている。

しかしここでこちらも怒ったら交渉になりません。そこで、「申しわけございません」と係長と二人で、もう一度丁寧な礼をしました。

すると、「いまさら遅い」。

心の中で「くそっ」と思いましたが、仕方なく目を見ていました。Bさんは言いました。

「あなたのほかにも、部長はいるでしょう」

「はい」

「あなたではもう話にならない。もっと話の分かる人と話したい。その人に明日電話をするから名前を教えろ」

そこで総務部長の名を教えました。「今日はもういいよ」と言われ、解決せずにBさん宅をあとにしました。

怪しげな人物の登場

翌一六日。待っていても、総務部長あてに電話は来ません。

二一日に手紙が着きました。がっかりしたのは表書きの社名の字が間違って書かれていたこと。喧嘩相手の社名を間違えて書く人ですから、間が抜けているといえば抜けています。

総務部長殿
ご報告は受けていると思いますが、貴社の社員関根には誠意が見られない。

対応を聞いてみれば、表面を削るとか塗り直すと言っており、私にとってこのテーブルがどのくらい大事なものか理解しようとする姿勢もまったく見えない。

そこで私は紹介を受けた貴殿とお話をしたい。追って連絡をいたしますが、誠意あるご回答をお願いする。

お話の進み方では、本社への手紙も用意している。

私は、販売員に普通のコンロと言われて買ったものであり、そこは間違いがない。販売員への確認は充分にお願いしたい。また関根が言っているPLO（これはどうやらPL法の間違いのようです。まさかパレスチナ暫定自治政府のことではないでしょう！）は、私には何も関係ない。言っている意味もよく理解できない。

御社としての誠意ある回答を希望します。

鈴木会長へは、今回の経緯をすべて説明しました。

鈴木会長は私のビジネスの顧問をしていただいている方で、今回のこのコンロも経費は鈴木事務所から出ております。（領収証は、Bさん個人名で発行しています）

そのため、今回の解決にあたり相談をいたしましたところ、次回お会いするさいにはご同席をいただけることになりました。

以上

手紙を見て驚き、がっかりしたのは、「私にはPLO（PL法）はまったく関係ない」というくだりです。

PL法の施行は一九九五年です。こんな「たかり」をやっているのに、すでに施行後七年以上経った今も、知らずにいたとは。このくだりからして、水コンロ自体の存在を知らなかった可能性が大きくなりました。

Bさんからは、「鈴木会長」という人物のところに行けとのことです。一月二六日。私は出番を外されましたが、総務部長が供をつれて出かけました。このように正体不明の輩《やから》が出て来たときは、必ず二人で行くのが鉄則です。

行ってみると、大きな工場の事務所という感じの場所でした。非常に分かりづらい場所にあったそうです。そこには鈴木さん（六五歳くらい）、Bさんのほかに、若い人（三五歳くらいで、オンブズマンの名刺を持つ）がいたそうです。

鈴木さんからの提案は、「あれだけのテーブルに傷がついたのだから、それ相応の金銭で解決するのが普通だよ、どうかな」とズバリの金銭解決でした。

鈴木さんはBさんに尋ねます。

「どのくらい希望するの?」

「自分にとって価値の高いものですから」

「それでは分からないから、私の妥当と思われる線でお話ししましょうか」

Bさんは「結構です」と。二人で猿芝居を打っているようです。

「どうだろう。百貨店さんも長引くと面倒だし、本部を担ぎ出すのも大変でしょうから。二〇万円の弁償でいかがですか。Bさんどう?」

「はい、お任せします」

当社の二人は打ち合わせどおりです。

「最初にお話しした五万円が限度です」

とはっきり言いました。当然、決裂です。

「次回もう一度会いましょう」ということで、総務部長らは戻って来ました。後でそこにいた鈴木会長なる人物の裏をとりましたが、驚くような人物ではありませんでした。

そして二週間ほどして、もう一度会いましょうという話が来ました。

先方は時間をかけて、こちらが痺《しび》れるのを待っているのですから、「一〇万円で」と言えば片がついたかもしれませんが、絶対に五万円です。

つらいでしょうが総務部長がまた行きました。割と早く帰って来ました。理由は「あなたでは話にならない」となったからです。

次はどう出て来るのか。すでにこの件は本部総務へと話をすすめており、社の役員にも話を通してありました。もはや、どうしても五万のセンは崩れません。

今後はぶり返しても、一切対応をしないことで社内統一をしておきました。

Bさんからの連絡はぷっつりなくなりました。六〇日間の攻防でした。

私はその七か月後に退社しました。しかし、この解決しないクレームはどうしても気がかりでした。やがて、その日から一年目に当たる日がせまってきたとき、付き合いのある当時の係長に「注意しろ、何か動きがあるはず」と連絡を入れました。予想は当たり、その日、社長への抗議文が届きました。本社は一時あわただしく動きましたが、報告されていることの確認をしたのみで、対応はしませんでした。

これでこの物語は終わりです。Bさんのしゃべる声だけは今でも思い出すことができます。寂しい方でした。

第三話

ヤクザとの対決

宝飾売り場の怒声

そのヤクザらしき人との最初の出会いは、こんな状況でした。

大阪での出来事です。その一報は宝飾の売り場から入りました。

眼鏡屋さんの店先で、無料で眼鏡が洗浄できる超音波器具を見たことがあるでしょう。それと似たようなものが、店内の宝飾売場にもセットしてありました。

そこへお客様、Cさんが来ます。ダイヤがついたネックチェーンを洗浄しました。少し古く傷んでいたのでしょうか、この洗浄のさい、ネックレスにダイヤを吊るすための「バチカン」という部品が壊れて、外れてしまったのです。

Cさんはさっそく販売員を呼んで、すごみだしました。

「どうしてくれるんだ」

「親の形見なんだよ。いま金に困っていて、今日質屋に入れるところだったんだぞ！　これでは質屋に入れられん。何とかしろ」

どうやらヤクザらしい物言いでした。まさに本領発揮です。相手をした販売員がたじたじになったところで、私のいる「お客様相談室」に連絡が入りました。

まずは、状況を確認します。そのダイヤは大きく、Cさんは「一カラットある」と言い張ります。係長も「それくらいあるかもしれない」との判断でした。

相手がヤクザらしい者であること、そのうえダイヤの大きさで、こちらも怖くなってしまいました。とはいえ、「怖くなった」とは、今になって思えば、未熟な時代の笑い話です。

というのは、今なら、このようにハッキリ言うことができるからです。

「お客様、その器具は無料でご使用いただいているもので、当店では破損の責任は持てません」

また、ダイヤの大きさなどまったく関係ないので、慌てないと思います。

しかしこの頃の私は、まったくの駆け出し。びくびくしながら、現場に行って状況を細かく、目で確認したのです。

対応は、まずは私が出ずに、係長と課長にやらせました。どっちにしろ最後は出ざるを得ないので、二人とCさんとのやりとりを見ながら、じっくり気持ちを落ち着かせておきました。

扉の陰から覗くと、Cさんはどうみても「その筋」の風体で、年のころで三七から三八歳くらいです。少し汚れたグレーのトレーナー。頭は短髪というより剃《そ》っている感じ。身長は一七〇センチで体重は八五キロくらい。目は細く、いかにも「悪そう」な顔つきです。

私たちからのCさんへの提案は、質屋が閉まる前までに修理のできる業者を探して、破損したバチカンを直す、というものでした。それができるかどうかの確認をする、と対応者はCさんに伝えました。

Cさんは、「ここで直せないのか」としつこく迫ります。

係長が、「できません」と言うと、「お前では話にならん、上の者を出せ」と言いだしました。

傷だらけの顔

いよいよ私が出て行く番です。対面の場面となりました。

第一印象は「怖そう」でした。次に顔を見たところ、傷だらけです。八か所ある傷の、少なくとも二、三か所はナイフか刀傷のように見えました。心の中では、「すごい顔だ」と驚いておりますが、もちろん表情には出せません。

こちらは神妙な顔です。

次にこう想像しました。

（こいつがいきなり胸倉をつかみかかったら、どうかわそうかな。大声で叫びだした場合は、どう対処するか。事務所に保安は来ているから、緊急時にはどうにかなるだろう）

そうはいっても、初めての体験は怖いものです。

さっそく、説明を始めました。話しだせば、少しは怖さもなくなります。

「お客様、大変ご迷惑をかけました。ただいま、すぐに修理ができるところを探しております。難波方面に数軒あるそうです。取引先を通じて、そのどこが一番早く修理が上がるか、確認してますので、今しばらくお待ちください」

Cさんは、「どうでもいいけど早く修理してくれよ。その質屋は夜は七時で終わってしまうから、早くしてくれ！」

現在、五時半を少し回ったところです。

修理先を探している間、私とそのお客様は、商品ケースを挟んで座っていました。沈黙が続きます。息苦しい時間です。

黙っているのも苦痛ですから、私のほうから切り出しました。

「形見でございますか。ずいぶん高価なものでございましょうね」

「石がでかいからな」

それでまた、しばらく話が途切れます。

「お住まいはどちら方面で」

「近くだ」

「ご来店はよくいただいて……」

「来ない」

こんな調子で、話は続きません。

勝負の分かれ目

五分ほどしたときCさんは、「ちょっと、路駐（路上駐車の略）してるから車動かしてくる」と言って、立ち上がりました。

そして、階段へ向かおうとしたとき、係長が私に向かって、青い顔をして迫ってきました。

「室長、どうしたんですか。お客様はどこに行くんですか」

私は、まだ未熟者です。「少しでもお客様がいなくなれば気が楽だ」とばかり考えていました。それで、

「車の移動に行くそうだよ」と何気なく答えました。

すると係長は言い返します。

「ちょっと待ってください。だとしたら、そのお品を、お持ちになっていただいてください」

最初はピンとはきませんでしたが、すぐ、ハッと気づきました。

私は階段に行きかけたお客様の背に向かって、大きな声で、「お客様、少々お待ちください」と言いました。

相手はこちらを振り向きました。やはり怖い顔です。少しびびりましたが、とにかく落ち着いて話そうとしました。

「このお品は預り証もございませんので、ひとまずはお持ちになってください」

そう言って、ダイヤとネックチェーンを渡しました。Cさんはしばらく考えてから、黙っ

て受け取りました。

ここが勝負の分かれ目だったことは、あとでゆっくり考えたとき、分かりました。危なかった。

お客様が去られたあと、係長から説明を受けました。

当時一カラットのダイヤは、品質によって、価格に八〇万円から四〇〇万円もの大きな差があったのだそうです。Cさんが置いていき、戻ったとき「石が替わっている」と言われたら、もうどうすることもできません。

「替わっていない」「いや、替わっている」の、どちらにも証明できるものはないのですが、そうなると預かったサービス業の側は不利です。絶対不利なのです。「分からないときはお客様の言い分が正しい」のですから。

クレーム対応において、このときほど、人の助けが必要だと感じたことはありません。当時の私は、駆け出しの未熟者でしたから、係長のような、その道の現場のプロにはとてもかないません。

この日以来、常に現場の意見に耳を傾けることができるようになったことが、大過なく職務をまっとうできた最大の理由だ、と思い、今でもこの係長には感謝しています。

露骨なカネ目当て

さてCさんです。車の移動に行ったきり二五分、姿を現しません。

そのとき、お客様相談室あてに、一本の電話が入りました。相手は女性でした。私を名指しの電話です。

電話口に出ると、いきなり、

「お前のところで、お母さんのネックチェーンを壊したんだって。どうしてくれるんだ。大事なものなんだぞ！」

実に乱暴な女性です。一瞬、「あれ？」と思いましたが、すぐに、「さっきのCさんの仲間が出てきたな」と思いました。

「どうしてくれるんだよ。今から行くんで待ってろよ」

と言い残し電話は切れました。

待つこと一〇分。電話の主は、Cさんとともにやって来ました。

「お前が関根か」と私の名を言います。

「はい。このたびはご迷惑をおかけしまして、申しわけありません」

「どうしてくれるんだ」

派手な服装と時間からして、女性は夜の商売についている感じがありありでした。髪の毛は金髪。年のころ四〇歳。どう見てもさっきの男、Cさんはツバメでしょう。こんな「姉御」の前では、Cさんも何も言えずに小さくなっているんでしょうか。

「こちらはこの間に、修理のできるところを探しておきました。どうぞ無料で直しますので、こちらにお出向きください」

怖い「姉御」に向かって、私はそう伝えました。

しかし、それでは先方の狙《ねら》いどおりになりません。目的は金でしょうから。

「どうやって行けっていうんだよ！」

「着くまで店を開けさせておきますから。電車でどうぞ。それが一番早いと思います」

「壊しておいてなんだよ。勝手に直しに行けとは！　しかも電車で行けとは、どういうことだ！」と、女は声を荒げます。

最初はびっくりしましたが、こちらはだいぶ冷静になってきていました。

「電車が一番早く着くと思います」

「冗談じゃないよ。せめてタクシー代くらい出せ！」。そして、「そのくらいしてもいいでしよう」と、やっと女の言葉になりました。

このとき学びました。こちらに落ち度のないときは、どんなに怖くても相手の目を見て、毅然《きぜん》として対応するのが、この手の相手への最高の威圧になるということを。

もう一つ気をつけねばならないことは、質問されたときに慌てて返事をしないこと。まず頭の中で一度答えを出して、整理したのちに言葉にします。しかもゆっくりと。これは大事なことです。

次に黙っていたCさんのほうが、口を開きました。

「タクシーで行っても、帰ってきて質屋に行ったら、もう間に合わないんだよ！」

「どこの質屋ですか」と私が問うと、

「この近くだが、難波への往復だけで五〇分ぐらいかかってしまう。とても間に合わない。どうするんだ」と言って、絡《から》み始めました。

「こんな押し問答をするより、一刻も早く行かれたほうがよろしいと思いますが」

「じゃあタクシー代を出してよ」と今度は女のほうが、さっきの要望を繰り返します。

お金は断じて渡すわけにはいきません。私は、「どうしてもお車がよろしいのでしたら、当社の車でお送りいたしますが」と言いました。

すると女は再びお金を求めてきます。「あたしたちは今日、大阪市内に泊まるのよ。そのホテル代、二人分くらい出してよ」

頭の中が「?」となりました。いったい相手は何を言いだしたのかな、と一瞬思いました。何でもいいから、お金を出せ。つまりはそういうことのようです。

もちろん、絶対にお金など出せません。

その後は「出せ」「出す理由がない」の押し問答です。

係長の機転

まもなく閉店。この一時間半くらいの間に、Cさんのほうはちょくちょく携帯電話をかけに席を立ちます。誰かから指示をもらっている様子でした。

やがて、話がまた元に戻りました。Cさんのほうがすごんできました。

「壊れたおかげで質屋に行けなくなったのだから、どうしても何とかしろ」

「質屋は何時までですか」

「七時だ」

「でしたら、先方にお願いして、何時まで待ってくださるか聞いてください」

Cさんはどこかに電話をかけましたが、話の内容からは、やはりどこかの質屋のようです。やがて、「七時一五分まで待つってさ」とCさんは私たちに告げました。電話番号を書いたメモの紙切れを、ちらちら見ていました。

こちらも粘ります。「もう少し何とかなりませんか」。

ここまで来ると、もう修理する気はどちらにもありません。

すると、そばにいた係長が、突然言いだしました。

「質屋に持って行くなら、ネックチェーンが壊れていることは、引き取り価格に影響しないはずです」

その瞬間、私は、Cさんの手元にあった、質屋の電話番号のメモを勝手に取りました。

Cさんと女は、ことの成りゆきを呆然《ぼうぜん》と見ています。

私は係長に、「お客様の行く質屋さんだから、チェーンが切れていることが引き取りの価格に影響するか聞いてくれ」と、客意を得ないまま、メモの紙を渡しました。

三分ほどして係長は戻りました。嬉しそうに、「まったく問題ないそうです」。

そこですかさず、私は言いました。

「お客様、大変お手間を取らせましたが、お聞きのとおりです。私どもは責任を持って質草になっている間に修理をいたします。よって今日は、お引き取りいただきたい」

さすがの二人も、もはや声がありません。一言二言何か言っていましたが、諦めて帰りました。

異常な反応の理由

私にとってのヤクザとの初対面は、これで終わりです。ひどく長い時間に感じられました。

この日はちょうど、年末ボーナスの明細支給日でした。サラリーマンにとっては本当に嬉しい日なのです。課長以上は会議室に集まり、店長から今期の成果説明を聞いたうえで、直接賞与明細をもらいます。

私はCさんとのやりとりの最中だったので、その場には行けませんでした。

その席上、店長は、「室長は今、ヤクザと渡り合っている。本当にご苦労様だ。ホンモノのヤクザだから、明細をもらったあと、様子を見に行ってみろ」と一同に話したそうです。

イキな店長です。彼は厳しい人でしたが、頼りがいのある店長でした。後で聞くと、店長はカウンターで私が対応していたとき、心配して、柱の陰からずっと見ていたといいます。

さて、Cさんが帰ったあと、私はまず、係長にお礼を言いました。

そして係長に尋ねました。「あのとき電話した質屋さんは、お客様のことを存じ上げていましたか」。

するど係長は、「まったく知らないし、今日来ることも知らない、と言われました」とのこと。

今回の出来事、バチカンが切れたのは偶然ではなく、最初から傷をつけてあったのでしょうか。それにしては、攻めの下手なヤクザです。車の移動に行くさい、声をかけたら戻って、渡したダイヤを素直に持って行くところをみても、プロのやり方には思えません。たぶんCさんは、言いがかりのつけ方を、よく知らなかったのだと思います。この世界でも、常習者になると、対応にかかった時間の代償を要求しますから気をつけてください。

ヤクザにも実力の違いがあるということです。

何はともあれ、ヤクザとの初対決は、何の被害も生じさせないまま、無事終了しました。周りの援助があればこそできたことです。

この一件によって、私の名は店内に広まりました。やがて、「ヤクザには関根」という、あまりありがたくない「評判」さえできてしまったのです。

今回の教訓から、ヤクザとの交渉術をまとめてみましょう。

●服装・言葉・人相に驚くことなかれ。事象の分析を正確に伝えて対応する。
●神妙な顔をしながらも、相手の目に柔らかな目線を送り目をそらすな。
●預り証のないものを預かるな。また、ダイヤモンドなど貴重なものを置いたまま離席させるな。
●相手が替わってもまったく同じ態度で接しろ。
●どんなに絡《から》まれてもできないことは「できません」と言い、安易に妥協しない。
●大声をあげたり、脅しの言葉を発したら、保安係を呼んで対応する。（そばに居るだけでもよい）
●相手を怒らせないように、慎重に言葉を選んで話すこと。
●別の者が出てきても、なるべく当事者と話すようにする。

もちろん、怒りの理由が正当であるならば、ヤクザだと分かっていても、普通の顧客と同じように接するのは、当たり前のことです。

別のヤクザとの交渉のなかで、こんな言葉を聞いたのを最後に紹介しておきましょう。

「関根さん、俺たち輩《やから》から見たら、百貨店に働く関根さんたちは超エリートの人間に見えるんだよ。だから癇《かん》に触る言葉には、異常な反応を示したくなる。分かってくれよな」
同じ人間同士、心を開けば、相手も普通に応じてくれることは多いのです。

追記　この項の内容確認をしていた二〇〇七年四月、大阪の百貨店から同じような事例の対応につき、「どうしたらよいか」と問い合わせがきました。内容は、バブル期に買ったダイヤのネックレスのメレーダイヤ（小粒のほうのダイヤ）が落ちたので、修理して戻したとき、「石が変わってる」と言われたそうです。一般のお客様だそうですが、今でもこんなことがあるのです。

第四話 軟禁事件

「未定」騒動

次の事例は、最初は「言葉たらず」から始まりました。

地方のある店舗でのことです。係長が「お客様相談室」にやって来ました。

「お客様にメモを書かされました」

そこには葉書大のメモに、「CDケースはいつ入荷するか未定です」と書かれていました。

「実は二〇分ほど前、『このことをメモに書いてよこせ』と言われまして、書かされました。

言葉はきつくヤクザのような感じの方でした」

内容をよく聞くと、事件が起きたのは、雑貨の有名ブランド「無印良品」の売り場でした。

当時、この商品は、大量に発注してコストを下げ、売れ行きによって再発注する供給方式でした。ですから、本社仕入れ部でも入荷予定が確定できない状態が、しばしば生じるのです。今回、来店いただいたお客様、Dさんは、この「未定」という言葉にカチンときたようでした。

そこでこの言葉を発した社員に、名前と時間と発言内容を書かせ、証拠として持ち帰ったのです。

その報告を受けてから二〇分ぐらいしたとき、店長あてに電話が入りました。

電話交換手が内容を聞くと、「クレームです」。

そうなると、苦情対応では店長と同じ権限を持つ「お客様相談室」室長、つまり私の出番となるわけです。

さっそく電話でのやりとりが始まりました。

「店長さんか」

「いえ、お客様相談室長の関根と申します」

「店長はいないのか」

「おりますが、ご用件は私が承ります」

「俺は店長を出せと言ったんだよ」

しとくよ」と言ってきます。

さあ、この歯科医はどのくらい慰謝料を払う羽目になるのでしょうか。そして、相手と縁が切れるのでしょうか。仮にひとりと縁が切れたとしても、「その筋」の連中に情報が伝わり、「狙われた状態」に陥るのは時間の問題だといえます。

ここまで来たら、腹を括《くく》りましょう。

●絶対にひとりで対応しないで、第三者（歯科医師会、保険医協会など）に協力依頼する

●絶対にお金の話（相手の考える落としどころ）に持ち込まれないようにする

この二つが必須です。

もし、ひとりで対応し、お金の話で落としてしまったらどうなるでしょうか。この歯科医院へは、「この手の患者」がその後も増え続け、今まで通院していた一般患者は、悪しき空気を察知して、ほとんどが歯科医院を替えていきます。怖い話です。

「お話の内容しだいでお取り次ぎをいたしますので、どうかご説明願えますか」

どうやら帰路の車中で、携帯電話からかけている様子でした。

「お前の立場はどうなっているのか」

「私の立場は、店長と同権限でお話を聞かせていただき、お返事をさせていただきます。また本部には直結でございますから、何なりとお話しいただきますようお願い申し上げます」

そう話すと、ようやく、「分かった。では話す」となりまし

▼ひとりで対応するな

突然連絡が入ります。

少しドスの利いた声で、「私の知人があなたの治療を受けて、寝込んでいる。どんな治療をしたのですか」。

受付の事務員はあわてました。歯科医師に伝えますが、歯科医は「何が起こったか」と混乱するばかり。

その後のやりとりは、「歯を削り過ぎで血が止まらなかったらしい。あんたは手袋を変えていないそうだな……」といった脅迫じみた会話で始まります。

そして、「カルテを確認したい。カルテを書き直すなよ。それは医師法違反だよ。こちらは、前回の治療後に『空白だらけのカルテ』を見ている」などと言ってきます。

当然ながら、相手は、カルテの不備を見抜く勉強もしています。

悪いことに歯科医のほうは、「自分の置かれた弱みを他人に知られたくない」という気持ちから、ひとりで対応しようとします。

そこも相手の狙いなのです。相手は言葉巧みに「口止め

た。

ひとまずの終息

話の内容は次のようなものです。

「今日、俺は娘に頼まれて、化粧品を入れるケースを買いに行った。以前、購入したものと同じものがないので、確認したら『入荷は分からない』と言うんだ。それで、近くに似ているものがあったから、『これでいいよ』と言うと、『その品物は展示用のケースです。商品ではありません』との返事だった。そ

れでも『譲ってくれないか』と頼んだが、『だめだ』と断られた。探している商品について、『ではいつ入るのか』と尋ねたら、『未定です』との答えだ」

これでおおよその会話は分かりました。Dさんの怒りは、このときの「言葉」にありました。クレームの内容は、こうしたものでした。

「お前のところは、商品入荷に『未定』という言葉があるのか。いま俺は、その売り場で『未定』と言われたが、予定ぐらいは分かるだろう。予定も言えない商品が存在するのか」

ごもっともな問い合わせでありました。言葉は大声ではないが、しつこそうで強く、相当クレームすることになれた方だとすぐに察しました。

私はすかさず、「申しわけありません、まさに言葉のとおり『未定』なのでございます」。

すると、「お前は誰だ」。

私は、「先ほども申し上げましたが、お客様相談室長の関根と申します」。

「お前までとぼけたことを言うのか。未定ではなく、『予定はいつ頃です』ぐらい言えるだろう。納品している会社に聞けば分かるはずだ。いい加減なことを言うな」と語気を強めてまいりました。

私はこのブランドの供給方式を充分理解していましたので、再度、「申しわけございませんが、確かに『未定』なのです」と言い、その後に、理由をお話ししました。

しかし、Dさんは納得しません。

「もういい。分かった。お前まで『未定』と言うんだな」

「はい。申しわけございません。ご連絡先が分かれば、入荷が判明しだい、ご連絡を差し上げますが。いかがいたしましょうか」と言いましたら、「もういい」とひと言言って電話を切られました。

乗り込んで来るかな、と思いました。でも、相手には正直に言っているので、なぜか気持ちは落ち着いていました。

会話をしている最中に、相手が何かを悟ったような感じを受けたのでした。案の定、この件はこれで終わりました。しかし、Dさんとの間には、第二陣があったのです。

クレーマーの再登場

その後も私は、平常どおり勤務をしていました。

地方の小型店の場合は、いつも苦情が入るわけではありません。販売額規模で年間二〇〇億から三〇〇億円程度ですと、件数だけでいうなら、月にして二五件くらい。ごく小さいものまで入れても、四〇件くらいだと思います。

もちろんこの数は、「お客様相談室」に届くものだけ。店頭における些細《ささい》な苦情・クレームをカウントすれば、この五倍くらいにはなっていると思います。

さて、「未定騒動」が起こってから三か月ほどたち、記憶から薄れだした頃です。たまたま私は、課長会の徹底事項として、「お客様の苦情がどんな状態であっても、店長は簡単には出向きません。現場では課長が受け止め、そこで解決できない場合は、販売部長に報告し、販売部長よりお客様相談室への出馬要請があれば、室長が出ます。店長は事故や社にかかわる重大事のときに出ます。もちろん室長で話がまとまらないときは、店長の出馬も要請します」と連絡をしました。

その連絡を流した一週間後の朝、出社すると、昨夜ある課長が軟禁されたことが話題になっていました。ただごとではないので、その課長に連絡したら、すでにこちらに向かったとのことです。

まもなく趣味雑貨の課長が出社しました。報告によると、こういう経緯だったようです。なお、「無印良品」のショップもこの課長の管理下にありました。
1．昨夜九時ころ業務を終え、帰路についたところ、社員入退店口で警備員に呼び止められた。
2．聞くと、「お客様から電話が入っています」とのこと。電話口に出ると、「今日求めたボタンの数が足りない。すぐに謝罪に来い」と言われた。そのまま誰にも告げず、お客様宅に向かった。
3．お客様宅は徒歩一五分くらいのところ。
4．着いてすぐ、ご主人から苦情を聞かされた。過去の苦情も含め、延々と説教され、帰宅を許されない。
5．三時間たって、深夜の○時に帰宅の許可が出た。
6．そこへ今度は奥さんが出てきて、延々と話す。とうとう午前二時になった。
7．明日、店長を連れて謝罪に来ることを約束させられて、放免された。
どうやら相手は、あのDさんだったのです。

「ふざけんな！」

今回の苦情内容は、こんなことでした。

Dさんは当日、ワイシャツを三枚、ご購入されました。おしゃれな方で、すべてのボタンを高級なものに替えようとしたそうです。

そしてホビーの売り場でボタンを求めたのです。しかし、帰って確認すると、ボタンが足りません。ワイシャツ一枚につき二個、計六個不足していました。

数えたのは、当社の社員であるとのご指摘です。

確かに数えたのは、当社の社員であったのかもしれません。どうやら、既製品では袖口に二個ついているのを、一個として数えたようです。しかし、通常は一個で役に立つはずです。

「数え間違い」と決めつけるのは無理があります。

ただ、そこに行き着くまでに、さまざまな不快感を与えてしまったようです。

「品揃えが悪く、最初に気に入ったものは、『数がない』と言われた。二番目に気に入ったものも『数がない』。そして三番目もなかったらしく、次のもので我慢したら、このありさまだ」

すでにその時点で、相当頭に血が上っていたのでしょう。三枚で三九個ですから、小型の百貨店ではなかなか揃わないかもしれません。

さて報告を受けた日が、店長を伴って行く約束をした当日でした。

私はこの課長に、先週の朝礼であれほど「店長は出さない」と言ったのに、どういうことだと問い詰めました。答えは、ともかく帰宅させてくれないので、仕方なく条件を呑んだ、ということでした。私がこの課長だったとしても、やはりそう言ってしまったと思います。

先方の狙いは、店長に近づき、親しくなることでした。

そのための方法は、何でもよかったのです。

そうはさせません。

「俺が行く」

すぐに、Dさんに電話をしろと課長に命じ、目の前で電話をさせました。

相手は出ました。

「店長さんと来るんだろう」

「申しわけありません。お客様相談室長の関根と伺います」

「お前、それじゃあ言ってることが違うじゃねえか。店長と来いよ」

「いえ関根と」

「ふざけんな！」

即座に私が電話に出ました。

「関根です。申しわけございませんでした。まずは私がご訪問させていただきますので、お話をお聞かせ願えないでしょうか」

「俺はあんたにも文句があるんだよ。あんたに文句があるのに、本人が来てもしょうがないだろ」

Dさんは、数か月前の「未定騒動」のやりとりでの、私の声と立場を記憶していたのです。恐ろしい記憶力だなと感じました。

「店長さんをよこしてくださいよ」

「いえ、私が」

そこで「ガチャン」と、電話は切れました。

課長は私に命じられ、すぐにもう一度、電話をしました。

「夕方五時にまいります」

「分かった、店長と来いよ」

さて店では、さっそく対応会議です。店長、部長、私に総務課長、担当課長、安全管理課長。私の腹は決まっていました。メンバーも私を送り込むことで、気持ちは一つになっているのですから。

自宅での対決、第一幕

午後四時四〇分。課長とともに、Dさん宅に出向きました。七分ぐらい前に着きましたが、待機しました。そして、二分前に課長が、「こんにちは」と声をかけました。

奥から「どちらさん」。

課長「昨夜は失礼いたしました。百貨店のMです」。

奥から「店長と来たんだろうな」。声はすれども姿が見えません。

「いえ関根とまいりました」

「約束が違う」と、相手は黙りました。

その間三〇秒ぐらいでしたが、長く感じました。

私は「もう一度言え」と課長を促し、「お客様相談室長の関根とまいりました」。

「だからさ……」と、Dさんが言いかけたときのタイミングをはかって、私が声をかけました。

声のトーンを落として、「お客様相談室の関根です。お話だけでも聞かせてください」。

数秒間の沈黙。

「しょうがないな、上がれや」

第一関門突破です。

お部屋に通されました。といっても、営業の現場事務所です。

お仕事は紙製品の卸業者です。長テーブルの一角に社長のDさん。角をはさんで私、その左に課長が座り、一通りの挨拶謝罪を述べました。

社長も店長でないことは不服でしょうが、いちおう、お相手をしてくれました。

「あなたは以前、CDケースの納期を聞いたとき『未定』と言ったよな。あれはどういうことかな」

さっそく始まりです。

最初は今回のクレームではなく、この対応に参加した私を不利な立場においてから、本題に入るつもりのようでした。

私を不利にしておくことで、店長の出馬をもくろんでいるのでしょう。

私は、最初の質問に慎重に答えます。「未定騒動」の一件です。

「前回は言葉・対応とも乱暴であったかもしれません。申しわけございません」

「『未定』というのは、ないんでしょう？」とDさんは聞き返します。

今回は前回のように、簡単に「あります」とは答えません。

「取引先の本社に確認させていただきました。そこで安堵いたしました。確かに『未定』は、今もあるという返事です。しかし、D様がお困りになったように、他のお客様・販売員も困るので、『未定』というのを改善していただけるよう努力してください、と申し入れました。その節は本当にありがとうございました」

と第一声の質問をかわしておきます。

ここで前回のお礼を言われるとは思っていませんから、Dさんも「エッ！」というような顔を一瞬しました。

「いろいろ大変だな」との返事さえもらいました。

そのうえで、本題に入ります。

Dさん「聞いてもらっていると思うが」。

私、即相づち。「昨夜は夜更けまでご迷惑をかけました」。

そのひと言を言ってからは、ただ聞くだけ。「ごもっともです」という言葉を変えながら、目を見たり、テーブルの上を見たり。

課長には、家に入る前に、このように指示しておきました。

話が始まったら手帳にひと言ひと言メモをしろ。

乱暴な言葉や恐喝があったら、俺が時間と言葉を繰り返して言うから、それを正確に書き取れ。

相手二人が細かくメモを取っているので、Dさんも慎重に話しています。そのため言葉はゆっくり、少なめでした。

私がひたすら丁寧なお詫《わ》びを続けていますので、先方はどこで突っ込んでいいのか戸惑っております。まさに「暖簾《のれん》に腕押し」「ぬかに釘」の状態。これでは相手も、どうしようもないのです。

そんなこんなで、すでに四〇分経ちました。

Dさんは話を切り替え、私に突っかかり、ボロを出させ、絡《から》みの糸口を見いだそうとしました。

「あんたは、謝り方がうまいだけだな」と来たのです。

Dさんは電話と違って、面と向かうと怒鳴ったり罵声《ばせい》を上げたりはしません。

こちらも、怒鳴られるような対応をしていません。正確に言うと、「怒りに切り替えることができない状態」を話法で保持しているのです。これを静行話法と名付けています。

これは神経を使います。この静行話法を続けながら、相手が尻尾《しっぽ》を出すまでジーッと我慢をし続けます。

相手も、このままでは終わらないのが分かっています。お互いがタイミングを待っているのです。怒りを出させないようにして、タイミングを待ちます。

今日は五時間以内で片付ければ、昨夜の軟禁状態より短いので、成功と言えるのではないか。私はそう考えていました。

別のネタがあった!

「あんたは、謝り方がうまいだけだな」

何かヘンだと思いました。

「何ですか」と聞き返します。

「謝り方だけがうまい、と言ったんだよ」

私はちょっと考えるふりをして、眉間《みけん》にしわを寄せたうえで、「待ってください、Dさん、それじゃあ俺が今まで謝罪で頭を下げていたというのは、嘘だと言うんですか。信じてもらえてなかったんですか」と、ほんの少し語気を強めます。

それまでは、D様とか社長という呼び方をしていました。自分のことは私と言っていましたが、この機を逃さず「Dさん」と「俺」に瞬時に切り替えます。ヤクザのような接し方をする人は、そこらへんは敏感です。

すぐに相手は、話題を変えて、自分の職業の話を始めたのです。

そこからは聞く側で、相づちを打てばよいわけです。時々、「当社も同じ苦労をしていますよ」ぐらい言っておくと、本当に嬉しそうに話を続けます。

この話は延々一時間半、続きました。

さて、始めてから二時間が経ちました。こちらの誠意ある謝罪が通じて、お暇《いとま》できそうなムードになりました。夜七時です。

そのとき、相手は次の攻撃を仕掛けてきました。しまった！　まだネタがあったのです。

「お店はそろそろ終わるよね」

「はい」

「おかしいな？」

そんなふうに始まりました。

「何か」

「いや、昨日ね、時計の値段を一つ、調べてくれるように頼んだんだ。もう終わるのに連絡もないのかな」

何のことか分かりません。情報のないことをいきなり切り出されたのです。冷や汗が背中を流れます。

「私は昨日、連絡先に会社の電話番号を教えてきたんですよ。普通の会社なら、五時半か六時に終わると判断して、それまでに連絡はしてくるよね」

ここで弱みを見せるわけにはいきません。

店内では時計を扱っているところが、五か所ぐらいあります。当然一番規模が大きいところで、高い時計があるショップとは思いますが、ここで「どこですか、担当は」とは聞けないのです。それを聞くと、またこちらが弱者に戻ってしまうからです。

ここは意地で、「男っぽいところ」を見せます。この相手にはそんな対応が有効であると見抜いていました。それに、これが勝負の分かれ目です。

攻防戦は演技戦

私はここで、大きな演技に入ります。最後の幕引きも計算しての行動です。ひたすらメモを取っていた課長に向かって、怒鳴るように言いました。

「おい、すぐ会社に電話をしろ。部長に頼んで、昨日、D様の時計の見積もりを約束した者を、すぐに探し出して返事をよこせ、と伝えろ」

「はい」

課長は外の公衆電話に走りました。

課長が出てから数分して、Dさんは思い出したように、「あ、そうそうT時計店だよ」と言います。

私は、時間はいくらかかっても、必ず担当した者を探し確認します、という態度をとり続けます。

やがて課長が戻りました。「部長に伝えました、すぐに招集をかけるそうです」。

「時計屋さんを教えていただけた。T時計店だそうだ。もう一度電話をしろ」

「はい」と、また課長は外に走ります。

Dさんはここで、もらった名刺を出してきました。担当者の名前がわかりました。

「この者ですか、申しわけございません」

　話を交わしていくうちに、（どうやらDさんは、今日返事が来なくてもいいような言葉づかいで、価格を調べてくれるようあいまいに頼んだのだな）と分かってきました。そして、その頼まれた社員は、本日休みであろうことも。

　課長が戻って来ました。報告を受ける前に、「D様が担当者の名前を教えてくださった。もう一度行け」と言いました。

「はい」と名刺を借りて課長が再び出ようとすると、Dさんは、「ここの電話を使っていいよ」と促します。

「いえ、けっこうです」

「使っていいよ」と、Dさんはしつこく言います。

「D様、ご冗談でしょう。お客様宅のお電話を拝借なんてできませんよ」

「いいよ、使って」

　とうとう私は、「D様、この電話では、課長が内緒話ができないじゃないですか」と言って、にやりと笑ってやりました。

　Dさんもそれに返し、にやけます。

私は、「行って来い」と言って、課長を外に出しました。

すでに返事は分かっています。「担当者がお休みで連絡がつきません」のはずです。

しばらくして、課長が少し困った顔をして報告しました。

「本日は休みで、自宅に連絡をとっているのですが、まだつきません」

即座に私は、「D様、申しわけない。明日そいつを連れて来ます」と立ち上がり、「今日は勘弁してください」と、今までにない大きな声で一気に話し、二人で深々と礼をします。

Dさんはその声と態度にびっくりした様子で、「分かった、明日でいいよ」。

つい返事をしてしまったようです。

「懐ろに飛び込む」方法

結果的にその日は、二時間半で終わりました。

会社では私たちを送り込んだあと、いつ帰って来るか、心配をしてくれています。前回は「軟禁状態」で、遅くまで帰れませんでしたから、今回も、と心配されるのは当たり前です。

ところが閉店まもない時間に帰ったものですから、逆に大騒ぎとなりました。

みんな顔が笑っております。私もホッとしました。店長と部長もニコニコで、さっそく単身赴任組はいつもの酒場に繰り出しました。

もちろん店長も部長も、一緒に行った課長も加わり、一〇人を越えた飲み会で、この日の酒はおいしかったです。

さて、残された時計の件ですが、宝石をちりばめた一四〇万円ぐらいのものでした。私はそれを見せられたとき、Dさんであっても、ご購入いただけたらありがたいな、と思いました。

翌日、その時計の担当者と午前一一時に、先方に出向きました。トップスのケーキを持って。ケーキを持っていくことが一番効果があると思ったのです。

なぜなら、今までの経過を思い出してください。最初の「未定騒動」のとき、Dさんはお嬢さんの使いで来ています。そして前日謝罪に行ったとき、そこで事務をしていたのはお嬢さんでした。ということは今日もいる、と判断しました。だからケーキです。

事務所に上がり、昨日のお礼と時計の報告が遅くなったお詫《わ》びをし、そして担当者からの直接のお詫びです。

Dさんから、「どうぞ」と椅子をすすめられましたが、私だけ座って、担当者には「そこに立ってろ」と命じます。すでに詳細を聞かされており、通常どおりの対応をすると長びく、と判断しました。

続いて「何を、ボサッとしてるんだ、早くお嬢様にお土産をお渡ししろ」。

「は、はい」と言って、担当者は彼女に渡しました。お嬢様はDさんに向かってにこやかに、

「いただきました」とひと言。Dさんは実に嬉しそうでした。

そこで、「いいよ、お前はもう帰れ」と私が命じました。

もう一度詫びを言ってから、時計売り場の社員は退去しました。この社員とも通常は仲がよいのですが、このときの私の態度には驚いたと思います。

私は、肝心なことを切り出しました。

「D様、ぜひ買ってください。ここまで値段が出ております」

価格を提示しました。

「もし今回の詫びで、『もっとまけろ』とおっしゃるなら、私に言ってください、勉強しますから。気が向いたら、ぜひご連絡ください」。ここでは失態を忘れたように、商売中心に話しました。

そう言い残し、私が退去したのは、訪問してから二五分後でした。

その後、残念ながら注文の電話は来ませんでしたが、このトラブルのあと、奥様とも店頭

でご挨拶をさせていただける機会があり、私が転勤するまでの二年半、うまいお付き合いができ、いろいろご指導いただきました。

うまくお付き合いできたのは、Dさんと最初に対応したとき、四〇分間に二回、「私の会社は金銭的解決はいたしませんが、誠意を持ってご対応させていただきます」とはっきり言っていたことが大きかったと思っています。

金銭での解決は、その場しのぎで早く終わらせたい、というこちらの弱い姿勢から出てくるものです。できるかぎりこれをしないのは、私たちの基本方針です。

今回の教訓は、次のようにまとめられます。

●苦情の対応は姑息《こそく》な手段を使わず常に正面から。
●真実のみで話をしろ。曲げて話すと戻るときにぼろが出る。
●お客様の大事にしたいところを常に見抜く。ここではお嬢様がポイント。
●謝罪だけでは苦情は終わらない。相手の出方をよく見て、懐ろに飛び込んでいかないと、相手は本音で話さない。
●手帳に書き取るとき以外は、常に相手の目を見て、お聞きする。

●表情は申しわけなさそうに、苦渋の表情を浮かべる。
●きっと分かっていただけると思いながら、お話をすすめる。
●特殊な人と思わず、自然な対応がお客様の気持ちをラクにする。

第五話　婦人服売り場の怪事件、三題

毛皮事件

購入した三〇万円の毛皮を持参した、上品そうなご婦人Eさん。六〇代後半の方です。

「この毛皮は二年前に買ったものですが、昨日洋服ダンスから出したら虫に食われていた。どうしてこうなったのか説明して直してください」

虫食いは持ち主の責任ですが、この女性は自分の過失を認めず、交換か返金を要求しました。

売り場の責任者が対応しましたが、ラチがあきません。のちに販売課長が自宅を訪問しました。

しかし、玄関さえ開けてもらえず、ガラス戸越しに話したそうです。

その後も、説明のために電話を入れると、「いま消費者センターと話している」とか、「県の行政に話をしているので何も話せない」など対話を拒否します。

三週間を経過した頃、百貨店側に、「代金を受け取りに行く」と突然の電話が入りました。いよいよ私の出番です。

会ってみると、Eさんの顔は、相当強《こわ》ばっていました。

私が挨拶すると、いきなり「こんな簡単な処理に、いつまでかかるの」と食ってかかります。

そして、「二年しか着ていないのだから、弁償するか虫食いをちゃんと修復してください」と詰め寄ります。

口角に泡を飛ばして責め立てられるので、いきなりの反論はやめることにしました。相手の感情を逆なでするだけだからです。

女性クレーマーEさんは、さらに続けます。

「もともとその虫は、買ったときから付いていたに決まっています。返金してください」

さすがに今度は、対抗しないといけない場面です。

慎重に言葉を選び、説明を始めます。

「当店では虫食いに関して、一切の責任は負いません。虫食いはお客様の責任です」

クレーマーの形相が、さっと変わりました。

「さっきも言ったでしょう。虫は最初から付いていたんですよ！」

「お客様、申しわけございませんが、販売時に虫がついていることはございません」

クレーマーは「なぜ分かるの？」と、迫ってきました。

「当社では、お客様と同じ毛皮が一九点売れていますが、虫食いの情報は今のところまったくございません。分かっているのは、いまもお客様宅の洋服ダンスに虫がいることです。虫はやわらかく、質のよい毛を使用した衣料から食べますので、急いでご確認することをおすすめします」

クレーマーの顔色が瞬時に、変わりました。話は終わりです。

その後、Eさんから店長あてに、「お客様相談室長は態度が悪い」という内容の手紙が来ました。

この手のお客様にはよくある、室長に対する苦情内容でした。

斜傾

クレーマーの話のなかで、ちょっと一服。お客様のほうが正しかった話を一つ、紹介しておきましょう。

もちろんここでのお客様は、断じてクレーマーではありません。

販売する店側の責任者のほうが、勝手に「クレーマーでは?」と勘違いしてしまった例なのです。

斜傾とは、斜めになること。衣料品の裁断ミスで出来あがった製品が、斜めになる不良品を指します。

ある日、お客様Fさんから、「購入したブラウスが、一度洗濯したら斜めに傾いておかしいので交換してほしい」と連絡が入りました。

さっそく、婦人服の課長と係長に説明を求めましたが、両人が言うには、「絶対そんなことはない」とのことです。

「あの商品で、そんなことはこれまで聞いたことがない」と、二人して訴え、「言いがかりではないか」「クレーマーではないか」とお客様を疑う始末です。

二人に「斜傾はない」ことの証拠を求めると、該当商品は一〇年近いヒットで、毎年販売する定番であること、ブランドも一流であるから、という返事でした。

私も言われてみれば、確かに「そうかな」とは感じます。しかし過去の体験から、商品を確認するまでは、お客様の言葉を一〇〇％信じないといけません。

そして、係長をすぐに、Ｆさんのお宅に訪問させ、確認をさせました。

係長はＦさん宅に着き、その商品を確認したとき、驚いたそうです。

商品を預かり、外に出て、あわてて連絡を入れてきました。

「申しわけありません、商品はお客様のおっしゃるとおり斜傾でした」と。

帰社して、課長も現物を確認し、信じられないという顔をしています。

当然のことながら、Ｆさん宅を訪問した係長は、丁寧な挨拶の後、斜傾である旨を伝え、お詫《わ》びをしたうえで、原因を追究して報告をすることを約束しました。そして翌日、正常な商品をお届けする約束をして戻ってきました。

これは苦情ですが、商品不良というものであり、お客様にはお手を煩《わずら》わせました。

結果として、商品交換でことなきを得たのです。

この体験は、課長と係長にとって、「過信」はいけないという大変良い勉強になったと思います。事後の対応は本部に連絡をして、そこから各店舗の在庫の点検と、販売されたものの商品確認の指示が出ました。同時に、取引先に連絡し、流通している全商品の確認をするよう提案しました。

このブランドでは数万枚の製品が出回っていましたが、機械で裁断し縫製するものでも、生地をセットするのは人の仕事ですから、ごく少ない確率でも間違いは出るのです。

ここでは、お客様を信じることの大切さを痛感しました。

ブラウスの背中

女性の顧客Gさんが、「一〇年着た白のブラウスの背中に穴が開いたので、交換してくれ」と代金着払いで、ブラウスを送りつけてきました。

通常、衣料品の消耗はものによっても違いますが、ワイシャツなどは四年と規定しているようです(消費者センター)。

商品を確認すると、実に丁寧に着ています。

とても一〇年使用したようには見えません。

指摘された穴は、長年洗濯を繰り返すことで自然に糸が細り、結果として穴の開いたものでした。もちろん部分修理もできず、保証も対象外です。

その説明をするために、売り場の責任者がGさんに連絡しました。説明の中で、交換はできない、修理も不可、と伝えると、Gさんはこちらの対応を激しく非難。電話を一方的にガチャンと切ってしまいました。

数日置いて、フロアの責任者が電話をしても、Gさんは納得しません。同じように店の対応を非難して、切ってしまいました。

私は、念のため近くの消費者センターを訪問し、確認をしました。対応に間違いはありません。

とうとう私の出番です。

Gさんに電話して名乗ってから、言葉を慎重に選んで話し始めました。

しかし、Gさんは「他の百貨店なら交換する」と言い、「店長を出せ」という始末です。訪問して説明することを申し出ても、結局、電話は切られてしまいました。

こんなときは、時間に任せます。

交換するのは簡単なことですが、それをやってしまうと新しいクレーマーを誕生させます。どんなに非難されても消耗品は、消耗したら終わりなのです。

この女性Gさんは、明らかにクレーマーでした。

なぜかというと、まず手口が慣れています。

こちらに事前の相談もなく、着払いで送りつけています。

そして、包装にはM百貨店のものを使用しています。

さらに、何度も電話をガチャンと切るのは、「私は怒っているのですよ！」と伝えている恐喝の一種です。

こんなところが、クレーマーの特徴を示すことでした。

三週間もした頃、Gさんから、売り場の係長に電話が入りました。

「その商品をすぐに返してください」とひと言いって、また、ガチャン。

Gさんのご自宅は、高速道を利用しても一時間近くかかるところですが、丁寧に包装し箱に入れ、私が届けに行きました。

インターホンを押すと、「どなた！」。

「〇〇百貨店です」

インターホンはプツッと切れました。

玄関のドアが開き、怖い形相の、四〇代半ばくらいの、痩身の女性が出てきました。

私がどう切り出して説明するか考える間もなく、低い門扉の上から手を伸ばし、私の持参したブラウスを鷲掴《わしづか》みにして奪い取り、ひと言も発しないで、ガシャンとドアは閉まり、鍵をかける音がしました。

その間、五秒ぐらいだったと思います。

私はその場から、しばらく動けませんでした。

このときの教訓は、次のとおりです。

●保証期間を過ぎた商品は、お客様に交換をせがまれても丁寧にお断りする。

●持久戦になっても筋を曲げないで、気長に待つ。相手の出方を待つ。

●理の通った丁寧な説明をする。

●相手が受け付けない場合は、人を替えて対応する。

●事例の場合、仮に一か月が過ぎてもなんら連絡がない場合、こちらから連絡をする。さらに一か月が過ぎたら、手紙で期日を決めて送り返すことを連絡する。それでも連絡がなければ、書留で記録を残し送り返す。

なによりも、クレーマーには屈しない気構えを持つことが肝心です。

第六話　賞味期限

クレーマーにあらず？

洋菓子の賞味期限によるトラブルが発生しました。

古くからある御礼・感謝のしきたり、お中元・お歳暮ですが、これも時代を反映して、年々形骸化しつつあるのが現状です。大手企業ではすでに、この贈答を廃止しているところも多くなってきています。

しかし、百貨店にとっては年二回の大イベント。各社とも総力を挙げて取り組んでおります。

ある年の、お中元が最盛期を迎えた頃でした。店頭、倉庫、配送所、メーカーもてんてこ舞いのときです。

その苦情申し出人、Hさんから食品の事務所に電話が入ったのでした。

「いただいた洋菓子の賞味期限が切れているものを食べた。なんとなく具合が悪い。そのメーカーには、外装に賞味期限の表示がないじゃあないか。これは食品衛生法第二条に反している」

「メーカーは、『小包装の商品それぞれに賞味期限が表示してあるので、外装へは必要ない』と言っている。しかし、百貨店は法律以上の安全管理の義務があるはず。どんな管理をしているのか、話を聞きたい」

という内容でした。

確認すると、洋菓子の製造メーカーの本社にも前日、Hさんから抗議の電話が入ったとのことです。

さっそくメーカーの地域の責任者が、当社を訪ねて来ました。

ほぼ並行して、Hさんの情報が入りました。

ちょうど前日のことです。「テナントを管理しているところにつなげ」との電話が代表番号から入りました。受けた交換手が、「テナントサービス部」につないだところ、「依頼した食品部でない」ということで、懇々と三〇分も指導されたとのこと。これがHさんだったと

クレーマー物語　病医院編　**コラム4**

▼大切なのは「安全・安心・信頼」

サウナ風呂で、刺青がある人の入浴を禁止しているのは、なぜだかご存じでしょうか。

そういう人たちがいると、一般のお客さんがもう近寄らなくなってしまうからに他なりません。

また、あるゴルフ場では、たった12組でコースを貸し切りにしてしまいました。どうしてかというと、「黒いベンツに乗った人たちの会であるという情報が受付後に入ったが、断ることもできなかったから」だといいます。やむをえず貸し切りを決断したのです。これも一般のお客さんを一緒にしたくなかったからです。

これらの共通点は何か。顧客が求めているものは、第一に「安全と安心」なのです。

さらに、クリニックや歯科医院には「信頼」も求めたいものです。

いうのです。

Hさんは同じ日の午後、今度は「販売促進部へつなげ」という電話をかけてきました。つないだところ、「ホームページ上に、取引先の電話連絡先がない。これは不親切だ」とのクレームです。「取引先」とは、くだんの洋菓子のメーカーのことでした。

つまりは、すべてが今回の問題に絡《から》んだ内容であったのです。

「クレーマーではないか」お客様相談室では、さっそく調査を始めました。

競合のM百貨店へ人物照会を依頼しましたところ、「その方は、非常に正義感が強く、よく当店にも苦情をいただお褒《ほ》めもいただき、非常によいお客様になってくださっている方ではないか」と返事が来ました。

「またその方は大地主で、お金に困っているわけでなく、何も要求はされないので、本当に当店にとってはありがたい存在になっている」とも付け加えられました。

実は申しわけないのですが、最初にこの件が「お客様相談室」に入ったときは、クレーマーとして、みんながざわめき立ったのです。

しかし、Hさんはどうやらクレーマーではありません。M百貨店の人からの情報を得て、私は担当からおりました。むしろ、「ありがたい方とめぐり会えたものだ」と感謝こそしていました。

購入したのは別の客だった

翌日、私は指定の休みの日でした。

Hさんからの苦情については、その日もメーカーとの確認を進めていたようです。メーカーへ問い合わせた結果は、今回のように個品を箱詰めにした場合、「法律で決められた表示以上の対応が必要であり、社会的な責任を果たすことがメーカーの責任である」とのこと。

その返事を、メーカーからHさんに電話する旨、約束を取り付けたそうです。

そして、次の日。出社すると、食品の課長とメーカーの支店長、さらに当室の担当者で会合を開き、検討しているところでした。

メーカーでは、さっそくHさんに連絡を入れたそうです。すると、「こちらまで説明に来い」とのこと。

急遽、指定の駅に支店長と菓子売り場の係長が出向きました。「駅から連絡をしろ」とのことで、連絡をすると近くの喫茶店を指定されました。

会見の場には、「実際に購入した者が同席する」と言います。ここで事実が判明しました。Hさんは、ギフトとして贈られた方だったのです。自ら購入したわけではありません。

状況は、このようでした。

直接購入した顧客は、七月二日に買ったのです。翌日三日にHさん宅を訪問して、お菓子を渡すつもりでした。しかしHさんの都合で、訪問日は一七日に延びたわけです。

賞味期限は七月六日のものが数個入っており、二〇日間しかない賞味期限のほとんどは切れた状態になっておりました。これでは「賞味期限切れ」は当然です。

喫茶店での話し合いは、三時間ぐらい続いたそうです。

店舗では賞味期限の決めごととして、焼き菓子に関しては、賞味期限の半分で商品を店頭より下げる指示を出しておりました。しかしこの詰め合わせのお菓子に関しては、それが厳守されていませんでした。

ただし、販売時点で賞味期限が切れていないことは明白です。

Hさんは、メーカーの電話に出た担当者の横柄な態度、そして管理義務等々を、声を大にして、クレームをつけてきます。

二人が帰社して、整理をしてみました。

①今回のギフト商品は、当社の指示が守られていない。二〇日間の賞味期限のものは、ギフトの配送を三日間考慮して、期限を一〇日間に設定。到着後一週間でご賞味いただけることを前提にしていた。今回は期限が四日間のものもあり、指示と一致していない。

②本来、当店よりご購入いただいたお客様と対応することが正しいが、贈られたお客様H様からのクレームになっており、対応が難しくなっている。

③H様と対面した話の内容では、過去にも他店で不正表示の摘発をして感謝されているとのこと。関連の知識も豊富で、ただのお詫《わ》びではすまないような感じを持たせている。新聞広告での謝罪等も匂わせていた。

Hさんに、返答すると約束したのは、七月二二日でした。

保健所登場

二二日。通常百貨店の開店は午前一〇時です。開店と同時の一〇時にHさんより電話が入りました。あとで考えると、このときも後手に回ってしまったようです。

「先日、『二二日に連絡をする』ということだったが、連絡がない。どういうことか」

事態が大きくなりつつあり、落としどころが必要でした。取引先と課長で決め、お菓子の代金と精神的な苦痛の代償として、一万円を包むことにしました。これは本来、社のルールに反することです。

当日は課長と再度支店長が、Hさんのところへ出向きました。指定は、外のレストラン。自宅には来させないということは、何か理由があるはずだと、私は思いました。

やりとりが始まりました。まずは課長より、通常のお詫びを申し上げ、商品代と精神的な苦痛に対し一万円を差し出しました。

Hさんは封筒の中身が一万円であることを確認すると、不満と見えて受け取らず、今までの話を繰り返しました。

課長もそこでは一歩も引かないつもりでした。当然、話は堂々巡りです。ラチがあかない、ということで保健所へ行くことになりました。

「保健所へ行く」というのは、Hさんにとって、脅しのつもりだったのかもしれません。しかし、こちらは「どこに出ても問題ない」と判断しているので、隠すことは何もありません。むしろ事態を公正に見てもらえるので、保健所行きは助かるのです。

保健所の係官からは、「表示のミスはない、外装には表示がなくても可」という見解をもらいました。しかし、Hさんの執拗な抗議によって、保健所が店頭を点検するということになったのです。

会社としては、逃げも隠れもしないし、もし間違ったものがあれば真摯に対応して改善するだけ、と考えていました。実際、管理は非常に厳しく行われて、日々点検も怠っていないので、自信があったのは事実です。

保健所は、点検をしました。結果は口頭での注意はなく、後日書面にて連絡をいただくことになりました。

点検に同行していたHさんは、管理が比較的よくできており、大きな問題がなかったことに失望した様子でした。それは、帰り際の捨てぜりふから分かりました。

「今回のことは、保健所の見解が出ても、これで終わりだと思うなよ！」

改善指導

ことは着々と拡大に向かっていました。

保健所からは、前回の返事とニュアンスが違う返事が来たのです。

「違反とは言い切れないが、好ましくない」

非常に難しい判断です。法的には問題ないのですが、お客様にとっては問題がある、といった判断です。

さらに、Hさんの手前もあって、再度点検するとの連絡が入りました。点検をした結果、「S社の包み置き商品の賞味期限が見えない」との指摘をいただき、すぐに改善をしました。

ところが同じころ、このS社に対して、Hさんから、「包み置きは違反である。保健所に通報するぞ。マスコミに言うぞ」との脅しが入りました。この商品は、ご本人も購入して帰っています。

しかし、S社はしっかりしていました。慌てることなく、保健所には確認を、マスコミには広報が対応する態勢をつくり、さらに「脅しには一切応じません」との連絡がこちらに入りました。その一方で、改善にもすぐ取りかかる、とのことです。

他のメーカーにも数社、嫌がらせめいた連絡が入ったそうです。

保健所の指摘を受けて、確認を行って、店頭は健全な状態になっています。しかし、Hさんからは、改善したかどうかの確認の電話が執拗に入ります。

二八日に課長が、電話でHさんに連絡をしました。最初からの経緯をお話ししてお詫びをし、保健所のご指導をいただけたことへの感謝を申し上げ、今後も法律にのっとった形を崩さずに臨む旨を伝えたのです。

しかしHさんは、納得しません。

「保健所の点検の前に情報を流し、証拠を隠滅しただろう」

「S社の件はぜんぶ知っているよ」

などと、喧嘩腰の対応をしてきます。挙句の果ては、「保健所はお宅とグルになっているのだろう」と言いだす始末です。

それでも課長は、辛抱強く話を聞いていました。メーカーに対しては恐喝らしき発言もあったようなので、今回は録音をしております。私たち「お客様相談室」の面々も、息を潜めて聞き入っていました。

話の中で、Hさんは、こんな言い方を初めてしました。

「二万円で手を打たないか。これで今回のことは、すべてなかったことにしよう」

本性が現れました。完全に恐喝です。自分のとった行動が正義のものではなく、お金目当てであるとはっきり言ったのと同じです。

しかし課長はすでに事前確認をしており、「いくらせがまれても、提示してしまった一万円以外の対応はしない」と決めていましたので、はっきり断ります。

するとHさんは、戦法を変えてきました。

「このことは店長は知っているのか」「今回のことは、経緯をまとめて内容証明で社長に送付するがよいか」「またメーカーに関しては、社長の謝罪を要求する」等々。

まさに、最後の揺さぶりです。

こんなことは、私たち「お客様相談室」ではよくありますが、課長にしてみれば、初めてのことで大変だったと思います。汗を拭き拭きの対応でした。

しかし最後は、物別れ。「もういい」と言って、電話が切れました。

ゆすり特有の会話

とうとう、「お客様相談室」の出番が来ました。

私は、「新任の室長と一緒に対応しろ」との店長指示を受けました。

私の結論は、はっきりしています。

Hさんには、「当社の対応すべき相手はあなたじゃない。ご購入いただいたお客様とお話をさせていただき、もし召し上がった方に何か異常が出たなら対応をする。サービスとしてお菓子の現物交換をするが、購入者へは謝罪だけです」と、言うつもりでいました。

この方針はじかに店長に報告に行き、許可を得ました。また提示した一万円はどうするかも確認しました。一万円提示は「お客様相談室」が関与して決めたわけではありません。やはり、適切なものとは思えませんでした。店長も、「出したくない」と言います。私も同感でした。しかし、一度提示してしまったことでもあり、「今後一切何もない」ということで話をつけるためなら、支払うことは致し方ないとの結論に達しました。

三〇日。私はHさんに電話をしました。

初めての者からの電話で、先方も不審がっている様子がありありとわかります。

私は、これまでの経緯を確認していきます。「お客様」という持ち上げ方も徹底しています。上げれば上げるほど、「対応するのはあなたではない」という言葉との落差が大きくなるわけです。いわば計算してお話をしていることになります。

相手からは、「今までの人とは違うな」という言葉が口をついて出ました。

私は、持ち上げながら、Hさんの話を聞きますが、ここでは聞き手に徹しました。頃合いをみはからい、「新任の室長と私でご挨拶に伺うが、ご都合は」と聞くと、翌日の午前一一時を指定してきました。

三一日一一時。いつものように駅から電話を入れます。ファミリーレストランが指定されました。

初対面です。年の頃七〇歳。白髪が多い長髪、ひげも伸ばしているが衛生的です。声は四〇代の声。しゃべり方は電話でも感じましたが、恐喝めいた発言もときにはします。

室長が自己紹介し、私も挨拶をしました。

会話はゆすり独特のものでした。

押したり引いたり。さらには「上司への報告をしたか確認するぞ」といった脅しめいた言い方が続きます。

「警察とも親交があるんだよ」と言って出された数枚の警察官の名刺は、角が折れていました。

態度は穏やかに話し、笑ったかと思うと、いきなり目が真剣になり、怒りだします。ゆうに二時間を経過しておりますが、こちらの予想どおりに進みそうにありません。しかし、持久戦は覚悟しています。いくらでも待つつもりでした。

二時間半を回ったところで、私はこう切り出しました。

「H様、ご要望がございましたら、おっしゃっていただけませんか」

先方はしばらく考えるふりをしています。そののちおもむろに、こんな提案をしてきました。

「お宅ではこの件に関して、監視委員会を設けるべきだと思う。そこに私が入って指導したい」

待っていたタイミングが来ました。間髪を入れず私は言いました。

「お断りします」

Hさんはむっとした顔になりました。私はさらに続けます。

「その委員会は必要だと思います。ご指摘ありがとうございます。しかし指導にはプロの保健所係員をお招きして、受けることにします」

最後の攻防

ここで、たたみかけるように言いだします。

「H様、今回は本当にご迷惑をおかけいたしました。私が思うに、本来当社の対応すべきお客様はH様でなく、お菓子をご購入いただいた方にすべきものと思います。その点からもご迷惑をかけた形になり、申しわけございませんでした」

相手の顔に怒りの色が見えます。

「それでは俺はどうなるのか。俺のことはどうでもいいのかよ」

「いやいや、そうではございません。ご購入いただいた方が、期限の切れたお菓子をお届けしたことでH様とのご縁がこじれますと、それは何らかの対応をするより、方法はないものと思います。しかしながら当店としては、そのお客様にも期限切れの商品を売った事実はないことを、お認めいただきたいのです」

「それじゃあ、話がふり出しに戻るではないか」

「いえ。事実の確認をするより先に、ここまでご迷惑をかけたことに対して、『申しわけない』と言っていたのです」

「もう分かった。俺もごちゃごちゃごねるつもりはない。このことを知っている店長と一度会いたい。またメーカーの社長とも会いたいので、場を作ってくれ」

「できることならそうしたいのですが。どちらも忙しく、私どもに全権の委任をしていただいております。正しく伝えますので、ご容赦願いたいのです」

「……」

「最初にご提示した一万円は、ここで収めていただけませんか」

「いや、いらん。また改めて連絡する。それより店長の謝罪文が欲しい」

「何の謝罪ですか?」

「今までの経緯をすべて聞いた店長の、私に対する謝罪を求める」

「かしこまりました。帰って確認のうえご連絡いたします。よろしいでしょうか」

じゃあ今日は、ということになりました。

お支払いのさい、「自分の食事だから払うよ」とHさんは言いましたが、「そのお気持ちだけでけっこうです」と言って、こちらで支払いを済ませました。

帰社して、店長に報告です。店長は、「もう謝罪することはない」と言います。確かにそうですが、「私が上手《うま》く書きますから、ご覧になってから、ご判断いただけますか」と申し出て承認をもらいました。

一万円も渡しておりませんので、金庫に入れました。

翌日、Hさんに電話で、「店長の謝罪文をお届けします」と連絡すると、

「一万円と一緒に郵送でいいよ」との返事。拍子抜けです。

謝罪文の内容は、店長の諒解を得ています。一万円は現金書留で、店長からの手紙は内容証明をつけて送りました。

本当に長いひと月でしたが、これでなんとか無事、収まりました。

今回の教訓は、次のとおりです。

- 知識豊富なクレーマーは、事前にも同じことを行い、学習しているので要注意。
- お客様の情報等は正確に確認しておかないと、対面時の印象が変わり、対応に影響を及ぼすことがある。
- 男のクレーマーは、年齢を増すごとに悪質になっていくようだ。

第七話　靴下問答

営業マンふう

あるとき、紳士雑貨の販売員が靴下二足を持ち、お客様を伴い、私のいる相談室に来ました。

同伴のお客様、Iさんは四〇代。紺のスーツに茶皮のアタッシェケースを持ち、営業マンらしくビシッと決めて、余裕の笑顔というより少しニヤけています。

それに比べ先導してきた販売員の表情は固いので、直感で「商品苦情だな」と思いました。

この時点で、せっかく対面できたのですから、どんなことがあっても納得していただき、今後も店を贔屓《ひいき》にしてくれるように対応を始めます。

私は、「いかがいたしましたか」と尋ねました。

「お前が説明しろ」と言って、Iさんは、その販売員に指示をしました。

販売員はこう説明を始めました。

「お客様がおっしゃるには、一か月半前にこのブランドの靴下を買ったそうです。そしたら、たった五回しか履《は》かないで穴があいた、と。それは不良品だから、今日はこの靴下を一〇〇〇円で売れ、とおっしゃいます」

話を聞いた私は、内心、「何をふざけたことを言っているのだ」と思いました。瞬間的に、「普通のお客様ではない」と判断しました。

私は、販売員に向かって尋ねました。

「この靴下の価格はいくらですか」

「一五〇〇円です」

愉快犯タイプ

さっそく、私とIさんとの、やりとりが始まります。

「それはご迷惑をおかけしました。お客様、履いたのは五回ですか」

「そうだ。五回しか履いていないよ」

実に落ち着いた話し方をする人です。私は、首を傾《かし》げました。

「そうですか?……そんな例は、いまだ聞いたことがないのですが」

すると、Iさんはむっとした様子で、「本当だから話しているんだよ」。

本来はここで、確認のためにいくつか尋ねます。

購入日はいつか。

レシートはあるのか。

なければ、当店で買った証拠はあるのか。

こう聞いていくわけです。

しかし、やめました。Iさんはどうやら愉快犯のクレーマーで、上手《うま》くいったら仲間に自慢話をするだけだろう、と判断して、面倒なやりとりは行わないこととしました。

問答は、続きます。

私「つかぬことをお尋ねしますが、(間を置く)……靴下のどの部分に穴があいたのですか?」(ここではこの先どういう出方をしてくるかを、測っています)

Iさん「靴下の先だ」

私「先ですか……。(間を置く)では、穴のあいたのは先の上ですか下ですか」

クレーマー物語　病医院編　**コラム５**

▼言うほうも「体力」が必要

一般的な「クレーム対応」の世界では、苦情と要望、クレームは完全に分けています。苦情は、不満があるから申し入れるものであり、クレームは被害があるから補償を要求するものです。

苦情にも二通りあります。

一方は、「気に入っている医院だが、ここだけは何とか改善してくれ」と依頼するもの。

もう一方は、「いろいろ言ったが結局改善しない。諦《あきら》めた。もう来ない」と言って去るものです。

今までなら、後者の場合、「うるさいことを言う患者は相手にするな」と片付けていたでしょう。しかし、今後はそれをしたら医院経営に赤信号が灯ります。なぜなら、医院や歯科医院が増えて患者が減っているうえに、インターネットなどで情報網が発達して悪い噂《うわさ》はたちまち蔓延《まんえん》する世の中になってきたからです。

とくに医院や歯科医院の客は、近隣の人が中心ですから、口コミの影響もバカにはなりません。

実は、苦情を申し出る側も体力が必要なのです。こちらもしんどいのですが、相手もしんどいわけです。

体力とは、「無駄な時間を費やす」「専門用語での説明を聞く」「後に残る気まずさ」等に耐えるためのものです。

どのような内容であれ、このように体力を使わせて、苦情に至らせた道義的責任は、スタッフが考えている以上に大きいと言えるでしょう。

Iさん「上だな」

私「そうなると爪と靴が当たったことも考えられますが、爪が伸びているようなことはありませんよね」

Iさん「まあ、そんなことは分からん。けれど、破れたことは確かだ」（先方がむかついてきたのを察知します）

私「そうですか？」

そこで、私はそばで黙っている販売員に、話題を振りました。

「そんなことは過去に聞いたことがない。事例はあるのか」

販売員も私という味方を得て、少し元気が出てきています。

販売員「そんな事例は、このブランド以外でもありません」

私「私も聞かないよな……」

大きな声をこちらも出す

私は続けて、Iさんに言いました。「お客様、お洗濯の仕方は特殊な方法なんていうことはないでしょうね」

Iさん「普通だ」（さらに苛立ってきたことが分かります）

私「その商品は、まだ保管してありますか」

Iさん「あるよ、家に」

私「そうですか。一度、見せていただけないでしょうか。商品を調べて、不良品であれば改良します」

Iさんは、こちらの、のらりくらりの対応に、ついにシビレを切らしたようです。いきなり大声を張り上げました。

Iさん「おい、こんな対応でいいのかよ！　靴下が破れて、迷惑したのは俺だ！　何をグダグダ言ってんだ」

こちらが待っていたタイミングですから、すかさず、
私「お客様、大きな声を出さないでください。普通の声でちゃんと聞こえておりますよ」

と、Iさんより大きな声で、相手の目を凝視して言いました。

驚いたのはIさんです。まさか、百貨店のお客様相談室員に怒鳴り返されるとは、思ってもいなかったのでしょう。「鳩に豆鉄砲」とはこのことか、と思える顔をしました。

他の店では、触らぬ神にたたりなしと決め、最初から交換で対応するか、この怒鳴り声に

驚いて、「今回だけ」と値段を下げて販売した店も、たくさんあったのでしょう。

「たかり」を逃がすな

このときは、「たたみかけのタイミング」ですから、言葉を続けます。

まずは、大声をあげた非礼を詫《わ》びて、「お客さん、現物見せていただけませんか、検査をして正確な報告をします。商品に瑕疵《かし》があれば遡《さかのぼ》って対応を考えます」

物は最初からないはずだ、と踏んで私は言っています。

Iさんは、しどろもどろになりながら、「家にあると思うよ。まだ捨ててないと思うから確認するよ」

完全に動揺した様子でした。

「そうですか。それでは失礼ですが、お名前とご住所を教えていただけますか」

と言って、私は相談用紙を提示しました。

「いいよ今日は。また来るから」

Iさんはもう立ち上がりました。

ここで簡単に「たかり」を逃がすわけにはいきません。二度と来させないためにも。

「それは困りますよ。お名前を聞いておかないと報告書が書けません」

「いいよ。また来るから」

私は、「それでは、その間、何も対応できません。ご迷惑をおかけしたお客様の住所が分からないのでは困ります」と、さらに突っ込みます。

Iさんは、「いいよ、いいよ。あったら持ってくるから」。

「そうですか。よろしいのですか。でも、物がなければ、対応もしませんよ。それに、住所も氏名も教えていただけないのでしたら、今日の記録も残りません」（実際はしっかり書いておく）

「分かった」

Iさんは振り向きもせず、相談室を後にしました。

第八話

二人のクレーマー～銀行員と公務員

高速代を出せ！

「不良品の交換に来いと言われた。高速を車で走っている。三〇分後に到着するから駐車場を用意しておけ」

クレーマーJさんの第一声でした。

「今着いた」

プッッと携帯電話は切れます。

ナンバーディスプレイに表示された電話に向かって、私は折り返します。

「今どちらの駐車場ですか」

「西だ！」

プツッとまた切れました。

急いで西駐車場に向かいます。入口には大柄な男が立っていました。

「J様ですか」

「そうだ、あんたは」

名刺を出しながら初対面の挨拶をします。

Jさんは子どもと奥さんの三人家族で、大手銀行に勤めている四〇歳。県下でも有名なクレーマーだと知るのは後のこと。

話が始まります。

「お宅の係長が、不良品の交換に来い、というので来た。なぜ客が持参しなくてはならないのか。説明しろ」

係長は「交換に来い」とはもちろん言っておりません。正確な発言内容は、「こちら方面に来られる予定がございますか」でした。Jさんは係長の言葉の揚げ足をとっているだけです。

Jさんは続けて、「これだ」と男性用スカーフを出して見せました。

商品には微《かす》かな織りムラがあります。普通は気づかない程度ですが、何か狙いがあっての申し出のようです。

私は、来店までの三〇分間、じっと待っていたわけではありませんでした。

このクレーマーを知る社員の情報で、紳士服売り場の担当者が懇意にしていると聞き、さっそく何か情報はないか確認します。

一週間前に問題のスカーフを売ったが、そのさい、店員が「このブランドにも同じような柄があります」と、高級ブランドの商品を見せていることが分かりました。

「ははーん」と思いました。

この話を聞き、狙いは商品交換だと察しました。

最初の電話で「高速を……」の会話は、係長に呼ばれたので行く、として、暗に高速代金を要求しているのです。実に悪質なクレーマーです。

Jさんは、しばらく代替品を探していましたが、「気に入った物がない」と言います。

そこで、何も知らぬふりをして、「ブランド品にはありませんか」と誘いをかけました。

「エッ、そっちと交換ができるの」

Jさんの一瞬の笑みを、見逃しませんでした。Jさんはこうして、気に入ったものを手にしましたが、高速代金は受け取りません。なにかおかしいと思いました。

帰りぎわ、Jさんの前で係長への指導をやらされ、やっと解放されましたが、このまま終わらないと直感していたのです。案の定、一時間後のこと――。

「家に帰ったら、今日遊ぶ予定だった家族の姿が見当たらない。あの係長のせいだ。謝罪に来い」と電話が入ります。これは「高速代金の受け取り準備ができた」というシグナルだと思いました。先ほど店で高速代金を受け取らなかったのは、片道分しか領収書がなかったからでしょう。

　自宅を訪問し、四〇分ほど会話を交わした後、隣の部屋から戻ったクレーマーは、二枚の高速代金の領収書を手にしています。往復分でした。

　このクレーマーは手ごわい相手でした。この出会いから一年半後、相手の過失でクレームをつけてきたことを逆手にとり、その後の入店をお断りしました。私もいい経験をさせていただきました。

閉店一〇分前の訪問客

　そのクレーマーKさんは、閉店一〇分前に来ました。五七歳の地方公務員です。

　Kさんは過去に何度も、もめ事を起こしていました。

つい最近のもめ事は、閉店時間は過ぎたのですが、「自分がまだいるのにドアを施錠しようとするとは何事か」とガードマンとやりあった事件。そのとき、Kさんは少し酔っていました。

これらのもめ事の内容は把握していましたが、私としては初対面です。

まず挨拶をします。

「お客様相談室の関根です。何かございましたか」

男は椅子にかけたまま、顔だけこちらに向け、

「私はあなたを知りません」と言い放ちます。

ここでひるんだら、相手のペースにはまります。

「申しわけございませんが、私もお客様を存じあげません。今日、初めてでございます」

男はあっけに取られた。

「あなたもここにかけなさい」

「申しわけございません。まだ営業中ですので、お客様用の椅子に、腰かけるわけにはまいりません。このままの姿勢でお聞きします」

腰を九〇度に折り、顔を寄せて話を聞きました。どこから見ても謝《あやま》っているポーズです。

過去の「ガードマン事件」のさいは、Kさんはもめたガードマンの横柄な態度などをブチまけたのです。このときは「お客様相談室長」（私の前任者）が出向いても収まらず、建物を管理する第三セクターの責任者まで同行し、謝罪した経緯があります。

Kさんは閉店時間を過ぎても、帰る様子がありません。

ここで気づきました。そうか、今日は、「ガードマン事件」後、百貨店側の管理が徹底されているかどうか、確認しに来たのです。

Kさんにはこんなトラブルもありました。買い物をした手提げ袋に催事場の案内チラシが入っていたとき、「客の意見も聞かずに、勝手にチラシを入れたのはけしからん」と猛抗議。三〇分も続いたといいます。

今回は、私に向かって、「問題を起こしたガードマンが今もいるのは、どういうことか、説明しろ」と詰め寄ってきます。

Kさんは閉店のあとも五〇分、延々としゃべりました。

私は過去の非礼を、重ねてお詫《わ》びしました。

「よく分かりました。これからもよろしくお願いします」

ようやくKさんは立ち上がりました。

「ところで私の出口はどこですか」

「正面の出口ですね」

それを聞いて、Kさんは苦笑します。

「なにか……」と、私はとぼけました。

私は今回の訪問の意味を察知したのち、隣にいた部下に、あることを耳打ちしていたのです。

「正面出口を開けておくように」

消灯・施錠してしまったら、Kさんからまた、猛烈なクレームを付けられていたでしょう。

そう思うと、冷や汗が出ました。

第九話　被害額は二円？

つり銭不足事件

二〇〇三年九月の夕刻、食品事務所から苦情発生の連絡が入りました。男性のお客様Lさんから、「つり銭不足だ」との電話苦情が入ったとのこと。現場に出向きました。

確認すると、こういうことです。

買い物をして、レジ精算をしたLさんは、そこで「白飯《はくはん》は不要」と言いました。白飯は二一二円です。

レジ係員は年配のパートの女性で、値札を二一〇円と見まちがえ返金しました。Lさんは自宅に戻り、二円少ないことに気づいたのです。

さっそく二円を持って係長が謝罪に行くことになったのですが、Lさんはこれまでももめ事を起こしており、大声を上げる恐喝癖があるとのことです。

レジ係員もLさんのことをよく知っていて、以前から「怖かった」と言っていました。

やはり係長ではなく、課長が行ったほうがいい、ということになりました。改めて課長が行くよう指示を出しましたが、この日、課長は運良く（？）休みです。

仕方なく、私の出番ということになりました。

実はあとで反省に変わるのですが、この「仕方なくの精神」がいけません。二円程度で、と思って行ったことが、お客様であるLさんへの誠意を欠いた態度になっていたのでしょう。責任者としては失格です。

怒鳴り声にスタッフが逃げ出した

車で二〇分ほど走り、Lさん宅に到着しました。

玄関で挨拶をします。

会うのは初めてでした。身長一六〇センチ、年齢五五歳くらいの小柄な人でした。

いつものようにお詫《わ》びをしましたが、Lさんは最初から絡《から》んできます。

「教育はどうなっている」

「きちんと教育ができないのなら、俺がやってやる」

「責任者はどう処分する」

と矢継ぎ早の文句に、私も悔しくなり、素直になれなかったのです。これが失敗でした。

そうした私の気持ちが、顔にも現われたのでしょうか。Lさんは怒鳴り始めました。

「なんだ、謝《あやま》る気持ちがあるのか！」

こんな怒声が続いて一〇分もすると、

「今日はもういい、帰れ！」と、怒鳴りつけられます。

私は、「お許しを頂戴するまでは、帰るわけにはまいりません」と動きません。

自分の言っていることに逆らっている、ととったのか、今度はLさんは、向こう三軒両隣まで聞こえるような怒鳴り声を張り上げました。

「帰れ！」

「いいえ！」私も必死に応対します。

「帰れ」「いいえ」の繰り返しです。

挙句の果てに、「帰らなければ、不法侵入で警察を呼ぶぞ」と言われる始末。もちろんお詫びに行っているのですから、不法侵入などは成立しません。

怒声を浴びながらの押し問答は一五分続きました。

私は、「お許しをいただくまでは、何度でもまいります」と失言してしまいました。

Lさんはそこを突いてきます。

「今、お前は『何度でも来る』と言ったじゃないか。だから今日は帰れ」

そう言われますと、さすがに返す言葉もなくなりました。引き上げざるを得ません。出直しです。

その日、車でLさん宅まで送ってくれたスタッフが、表に出てみるといません。車もありません。

どうしたのかな、と思って探すと、一五〇メートルも向こうに駐車していました。

玄関先に車を停めて待っていたのだが、あまりの怒鳴り声に驚き、車を移動させたそうです。

暖簾に腕押し

この訪問体験で、不思議な発見をしました。

それはこの方の家族のことです。

今回の謝罪の場面は、私が小さな半畳ほどの玄関に立ち、Ｌさんは玄関の上がり端四五センチのところに仁王立ち。薄茶色のガウンを肩にかけ、約一五分、怒鳴りっぱなしでした。

実はその後ろで、勝手と居間を行き来する奥様らしき人と二〇歳代のお嬢様らしき人が、何事もないような顔をしているのが分かりました。

怒鳴り続けるご主人には、まったく反応を示しません。

(耳が悪いのかな。黙っていたほうがいいと思っているのか)

やがて見抜くことができました。常にこんなことをしている家族なのだ、ということです。家族はご主人のＬさんが怒鳴るのに、もう慣れてしまった様子でした。

これでは簡単には解決しません。ある程度の時間が必要だと判断しました。そのことも、出直すことにした理由の一つです。

さて、再訪の日が来ました。

今回は失敗が許されません。

前回の反省から、対応の仕方をまったく違うものにしました。

お話をひたすら聞いて、こちらは、

「おっしゃるとおりでございます」

「ご指摘どおりでございます」

「ご参考にさせていただきます」

「貴重なご意見として、いただいてまいります」

を繰り返したのです。

まるで馬の耳に念仏、暖簾《のれん》に腕押し、というわけです。

二円にも命がある

これもちょうど一五分くらい。さすがに、相手も言葉が尽きました。

このタイミングで、ずっと相づちばかりだった私は、切り出しました。

「ご返金でございます」と言って、二円を差し出したのです。

Lさんが受け取ったときの言葉は、今でも鮮明に覚えています。

「たかが二円かもしれないが、これでも命がある。二円受け取りそこなっても、たいした被害ではないが、お前の店では一〇〇〇円のものを九九八円しかないけど売ってくれ、と言ったら売るのか！」

この具体的な指摘はこたえました。実によい勉強をさせていただきました。

最後にお詫びのお菓子を差し出しました。

Lさんは当然のごとく受け取ります。

ただし、次のひと言にはやや腹が立ちました。

Lさんは手提げ袋の上から中を覗き、手土産の値踏みをして、「俺の授業料はこんなものでは済まないぞ」。

腹立ちを飲み込んで、私は謝辞を述べ、Lさん宅をあとにしたのです。

ここでの教訓は、次のとおりです。

●「たった二円」という気の緩みで、誠意を感じられない対応を見抜かれた。
●「普段から怒鳴るいやな感じのお客様」というレジ係員の言うことが先入観になって、お客様像を勝手に作って訪問した。
●大声をあげられたとき、反発心から冷静さを失った。それが顔に出てしまった。
●「いやな感じ」だと思っても、お客様の申し出をじっくり聴き、否定をせずに受け答えする。

●相手の態度で、自分のスタイルを変えない平常心を身につける。
●恐喝のために怒鳴っているのならば、「静かに話してください」と冷静に言う。

第二章

苦情社会がやって来た！

第二章 苦難社会がやって来た

格差意識が苦情を生む？

ある懇親会での出来事です。ひとりの法学系の教授が、こんなことを言いました。

「苦情の背景には少なからず、苦情申し立て者の経済的事由が存在する。そのため、そのような要因が除去されれば、苦情は減少するであろう」

私は、この説には多少の留保を持ちたいと思います。しかし、経済的な要因は苦情を言う人を生み出し、クレーマーを生み出す要因になっているのだという考えには一理あると思うのです。

急速に進むいわゆる「格差社会」が苦情増大を後押ししている、という見方には、一定の真実が隠されているはずです。

たとえば三〇歳の社会人の年収は、二〇〇万〜一〇〇〇万円までの開きがあるとされています。高学歴のフリーター、ニートが存在する今、卒業後数年で、同級生だった人との間に五倍以上の差があるのが「当たり前」となると、低い年収層のなかには、こうした格差を心理的ストレスと感じる人もいるでしょう。

そのような人が、百貨店で買い物をしたとします。

百貨店は顧客のために冷暖房管理、空調の行き届いた環境となっています。多くの場合、職場環境の快適さと収入には相関があると考えられているようで、「オレより良い条件で仕事をしているな」と思いながら、買い物をしてしまっている可能性があるのです。

もちろん、それだけでは「苦情」には発展しないでしょう。

年収が低く格差による差別意識を持った人が、「良い条件で仕事をしている人たち」になんらかのコンプレックスを感じているとしたら……。

品物を決め、若い販売員が愛想よく接客をしてくれれば、気分も爽快になるのでしょうが、なんとなく見下したような接客をされた、「タメ語」と聞こえるような言葉使いをされたと感じたとたん、「こいつオレよりも若いのに（きっと年収もオレの倍はもらっているだろう）、むかつく」というような感情を抱くことがあり得ます。

私が百貨店での苦情対応の第一線にいたころ、「困ったお客様」の多くは、むしろ高額所得者で、ゴールドカードをちらつかせるようなタイプでした。ですから、実感としては、教授の考えに同意しかねましたが、苦情を申し立てる人の階層もその内容も時代とともに変化しますから、このような、「嫉妬《しっと》を背景とした苦情申し立て」は、最近、ケースとして多くなってきているのかもしれません。

では、社会に対して「格差意識」を持ってしまう年収のラインは、どの程度でしょうか。もちろん、意識の問題ですから個人差が大きいでしょうが、くだんの教授によれば、一般的に若年層の単身所帯で年収四〇〇万円を超えると、精神的にゆとりができて穏やかになり、ほとんどトラブルにならないとのことです。

これを聞いたときは、なるほどと感じました。「金持ち喧嘩せず」ということわざが今でも生きているのでしょうか。

しかし、現代は、「苦情社会」と言っていいほど、苦情やクレームが多くなってきています。誰もが苦情を言い、言われる人になる、また誰もがクレーマーになり、その被害者になる、そうした可能性が高まっていることは否めないと実感しています。

新人とプロ

百貨店や大型の商業施設は、苦情の宝庫と言われ続けています。過去においては、苦情を「面倒なもの」として避ける傾向がありましたが、しかし今では、苦情がもたらす内容の重要性に気づき、客からの営業提案の一環として捉えています。その現象はバブルの崩壊以降、とくに強くなりました。

しかし、それを理解しているのは意外にもむしろ企業の幹部のほうで、現場にはあまり浸透していないように感じます。百貨店の「お客様相談室」に来る新人も、「苦情それ自体の重要性」の理解は簡単にはできないようです。だいたい「お客様相談室」は、企業の社員アンケートでは、常に行きたくない職場のトップです。

しかし、私は、これほど面白い職業もないと思います。人が怒り文句を言うさまは、なかなかまともに見ることができないわけで、その対応のために、その場で立ち会うのであるから、リアリティーがあり、言葉はおかしいですが「楽しい」とすら感じられます。

とはいえ、苦情に慣れていない人は大変でしょう。人が人を怒鳴るのに、喧嘩なら対等ですが、企業と客、医師と患者、教師と保護者では雲泥の差があります。

慣れない者は、顔じゅう強《こわ》ばって目は瞬きをやめ、全身が堅くなってしまいます。相手が、人差し指で軽くおでこなど突こうものなら、直立のまま倒れそうです。これが、新人が苦情を受けるときの「スタイル」です。

ならばプロはどう受けるのか。

相手が興奮してこちらにつばが掛かるほど怒鳴っていても、自然体で受けます。その程度は慣れればできるようになるのです。このような対応にあえば、苦情を言っている人も、逆に少し救われる。受ける側が素人で、直立不動、目が凝視の状態で対応されては、言う側も興奮を鎮める機会を失ってしまうからです。

デリケートな対応が必要

苦情や文句を喜ぶ人はいないでしょう。「クレーマー」という言葉もあり、企業からひどく毛嫌いされています。

しかし、クレーマーはもちろん、一般の苦情に対しても、きわめてデリケートな対応が求められます。一歩誤ると、会社などの根幹を揺るがしかねないほどのリスクに直結するからです。

お客様から指摘された欠陥を隠蔽《いんぺい》し、企業の信頼性を著しく失落させた例が、ここ数年の間に度々発生しています。

「苦情は宝の山」とよく言われます。

お客様から寄せられる苦情・クレームの中には、業務改善のきっかけや新製品開発のヒントになることがあるという意味です。確かにこれは事実であり、理想でしょう。

だが、苦情を受ける現場では、理想どおりにはいかない。

西武百貨店だからか、西武ライオンズが負けると、お客様相談室に、「いったいどうなっているんだ！」と当たり散らすお客様もいました。

このレベルになると、場数を踏まないと慣れることは難しいようです。

誰の立場に立つのか

「お客様の立場で考える」または「顧客目線で対応する」というのも、よく言われることです。顧客対応の最前線に立つ販売員は、耳にタコができるほど聞かされているでしょう。顧客の立場になり、顧客のメリットをいかに追求するか、顧客自身の利益をどのように確保するかが、求められています。

でも、「お客様の立場に立つ」ことは、実際には簡単なことではありません。

「お客様相談室」に配属されると、どうしても店舗の利益を最優先に考えてしまうものでした。自分の言葉や態度が、店のリスクにつながらないように、最善の対処をしようとします。

もちろん、この態度は賢明ではありますが、限界もあるのです。問題を解決できず、かえって大事《おおごと》にしてしまう危険性もあります。

しかしそれでは、本当の解決には至らないと思います。苦情を言う人やクレーマーを撃退して、「それで一安心」で終わってはいけないのです。

私は、一年経って、ようやく店側でも顧客側でもない、中立の立場になれたと自覚できました。当初は当然、店側でしたが、これではいけないと、お客様の立場も考慮した中間に位置するようになったわけです。こうなると、冷静に苦情やクレームを処理できるようになりました。なぜ苦情を言い、クレームを言ってくるのか、その背景まで配慮することができるようになったからです。

だが、これでもまだ不完全でした。

二年もすると、かなり顧客側に立てるようになりました。

「困っているのは、一刻も早く問題を解決したいお客様なのだ。お客様の苦痛を早くやわらげるには、お客様の立場になることだ」と悟りました。

店側、または中立に位置していたころは、いただいた苦情を電話で処理できず、顧客へ粗品を持って駆けつけることが多かったと記憶しています。

しかし三年も経つと、ほぼ顧客側の立場になりました。そうすると、不思議なことに八割は電話だけで解決できるようになったのです。残りの二割も、店内で調査して後日連絡する、で解決できることがほとんどになりました。

店側に立って苦情やクレームを処理するほうが、よほど時間がかかり、非効率的なのです。

苦情処理のゴールとは

苦情処理に欠かせないのが、「何をもって苦情処理のゴールとするか」という認識でしょう。ゴールは企業ごとに異なるし、場合によっては部門ごとにも異なることもあります。いずれにせよ、ゴールを確実に決め、これを目指して取り組むことが大切でしょう。

百貨店の場合は、「お客様を離さないこと」だと私は考えています。苦情を解決するだけではいけないし、お客様の満足感を向上させるだけでもいけない。再び来店いただいて、初めて成功となるわけです。

たとえばバッグが壊れたとします。なにしろ大枚はたいて買ったばかりのバッグです。買った顧客は、お店に怒鳴り込んでくるかもしれない。店側では、丁重に対応し、バッグを修理する、または交換する。

これで、バッグは元に戻ったが、顧客の心の痛手は治っていない。これを処置しなければ、その顧客を失ってしまいます。顧客がこれから購入するであろう数百万さらには数千万の売り上げを、他店に取られてしまうかもしれません。

そこで、誠意と真心を込めて対応し、心のしこりを取り除き、満足してもらいます。

これでも、ゴールではありません。店員を怒鳴ったりしたものだから、また来るのが恥ずかしいのです。その恥ずかしさをも取り除き、再度来店していただいた時点で、ゴールとなるのです。

「とはいえ、来店したそのお客様を見つけても、喜び勇んでお迎えしたら、やはり気恥ずかしさが先に立ってしまいます。必ず声をかけられますから、それを待って、前回のお礼も述べるのです」

そのように私は説いている。これほど接客は、奥が深いのです。

落としどころが見つからない

本来、苦情には簡単に解決できる他愛のない事柄から、解決の糸口がなく、クレーマーの疑い濃厚というケースまでたくさんあります。

大阪大学の「学校保護者関係研究会」という会の合宿で、講演をする機会がありました。その会は、阪大を中心とした各大学のさまざまな領域の教職員を中心に、精神科の医師や弁護士、市の教育委員会参事、高校の教師、それに阪大の研修生一〇名ほどで構成されており、初等・中等教育に属する学校に寄せられる苦情への対応を検討することを、目的としています。

そこで紹介された保護者からの苦情例を挙げてみましょう。（小野田正利『悲鳴をあげる学校』より）

「窓ガラスを割ったのは、そこに石が落ちていたのが悪い」
「けがをした自分の子どもを、なぜ、あんなやぶ医者に連れて行ったのか」
「学校へ苦情を言いに来たが、会社を休んで来たのだから休業補償を出せ」
「運動会はうるさいからやめろ」
「野良犬が増えたのは、給食があるからだ」
「今年、学校の土手の桜が美しくないのは、最近の教育のせいだ」

この申し入れを見たとき、多くの人は首を傾《かし》げるでしょう。

しかし、いずれも実際に学校に寄せられたクレーム、苦情なのです。もちろん、これらのレベルでは、「クレームを情報資源にしよう」などと考えられるものではありません。

また、ある県の公立学校では、近在の住人から「風で校庭の土ぼこりが舞うから何とかしろ」と言われ、スプリンクラーを取り付けたそうです。そして、その後統合された新学校にも、最初から取り付けたとのことです。

これらは、サービス業の現場で起こっている苦情とは少し違います。保護者と学校だけの関係とも言い切れない問題のようです。学校に寄せられる苦情の特徴を挙げれば、対象が広範囲であり、焦点を絞り込むことが難しいものもあり、必ず返事をしたり、しかるべき対応をとったりする必要があるのかどうかも疑問だと思います。

学校の苦情の難しさは、単に学校の先生方が苦情対応に慣れていないというだけでなく、「プロの苦情対応者でも判断に困るような内容である」というところにあるようです。落としどころが見つからないという側面に注目すれば、ある意味において「クレーマー対応」に近いものが延々と続くものとも考えられます。こんな「苦情」に付き合っていたのでは、教師や学校関係者の神経がどうかなってしまうのも、仕方ないようにも感じます。

一般社会の苦情

百貨店の苦情は第一章でも紹介したとおり、百花繚乱《ひゃっかりょうらん》です。一般企業は百貨店ほどないでしょうが、当然苦情は来るでしょう。

企業の苦情の世界はこのようなものですが、結局は形こそ違っても、売る側と買う側の双方の妥協点を見つけ平穏な形を持ち続けるわけです。

ここで、一般世間に目を向けてみると、土地の境界の問題や、隣に出た木の枝や騒音に対し、相手に被害等を申し出るのには、なかなか度胸がいるものです。そこには世間という目が存在し、あまり些細なことを言うと逆襲されることもあり、地域社会に住みにくくなるからです。

苦情を言ったことで、「あの人はクレーマーだ」と噂されるのは、気持ちのよいものではありません。

そこで、近所同士、ややこしい問題が生じたさいは、相手に言わないで周りの人に愚痴をこぼすことで相手の耳に入れる、という姑息な手段が正攻法のように生きてきます。

会社の人間関係でも、このような手法が使われることは、少なくないようです。

苦情社会の到来は、苦情の受けとめ方が非常に苦手な業種に属している人たちにとってみれば、戸惑うことが多くなるのを意味します。

前述した教師と、そのほかには医師や歯科医師が、こうした人たちの代表だといえるでしょう。

教師たちのいる学校は、最近、何かと新聞のネタになっています。

学校の「いじめ」と「給食費の未払い」は、数多くいる専門家にお任せするとして、私の場合は、保護者が教師へ言う文句で対応に苦慮しているという問題を取り上げます。先ほど紹介した学校での苦情の例のうち、三つを取り上げてみましょう。保護者の台詞《せりふ》はこうなっています。

●学校のガラスを割ったのは、校庭に石が落ちていたからだ。
●うちの子が学校でけがをしたさい、なんであんなやぶ医者に連れて行ったのか。
●学校へ苦情を言いに行ったのは、会社を休んで行ったので賃金を補償しろ。

これと同じ事態が、三〇年前でしたら、こんな言い方だったと思われます。

「貴重な財産である学校のガラスを、子どもの手元が狂い割ってしまいました。申しわけありません、お代金の請求をしてください」

「けがの手当てが早かったおかげで、大きな傷は残らないそうです。担任の先生にもよろしくお伝えください」

三つ目は言い換えることができませんし、当時はこんな申し出はなかったでしょう。それにしても大きく変わったものです。

「知識」の必要性

さてもう一方の医師の世界に目を転じると、そこにも形こそ違え、苦情が横行し始めてきたようです。私が担当しているのは、主に歯科ですから、そこの例で申し上げます。

歯科医院への苦情は、こんな形のものが実例としてあります。

「担当医が手袋を変えないで、私の口腔内を治療した。感染症の恐れがあるので検査費用三万円の要求をしたい」

「作っていただいたデンチャー（総入歯）が合わないので全額返金しろ」

「他の医院で確認してもらったら、このやり方はひどいと言われた。責任をどうとるのか」

現代の歯科医師への苦情を見ると、入れ歯が少しでも合わなければ「作り直せ」とか、「合うように直せ」と絡《から》まれる事例が多くなってきました。

もちろん、入れ歯は違和感があるのが普通です。なぜなら元の歯は自生していたから、神経を通じて異物と感じないでいました。その手入れが悪いか、体質などの原因によって喪失した歯の代理をしてもらっているのです。そう簡単には合わないのは、当然でしょう。

しかし、そのように常識的に考えてくれない人たちが、増えてきていることは、心しておかねばなりません。

並行して、医師に対しても、クレーマーらしき人間が増えだしました。

電話攻勢をする。

来院して怒鳴りちらす。

約束も取り付けないまま、夜間電話や訪問を繰り返す。

治療中にもかかわらず、呼び出す。

まさに好き勝手です。医師もこういうクレーマーにぶつかると、思考回路が止まるようです。どうしていいのか、分からなくなる。学校の教師と同じです。

その結果どうなるでしょうか。教師については、前に述べたとおりですが、歯科医師も同じように精神科の門を叩いています。

その原因は、苦情への対応が未成熟、つまり、「苦情対応力欠如」の問題となるでしょう。対応力を付けるには経験に勝るものがないとするならば、その境遇になかった、教師と医師は、現代社会において、あるいは「気の毒な人」なのかもしれません。

だが、苦情社会に慣れるまで今しばらく、本書第三章などを参考に、苦戦していただきたいと思います。

解決の道はやはり、経験とともに、対応に必要な「知識」を知ることです。知らなければならない知識は幅広くあります。関係法令から始まり、個人情報保護法、消費者基本法、患者・保護者の心理、対応術、言葉づかい、そして、本書で随所に紹介されている「苦情対応の知識」です。これらが揃《そろ》って、はじめてうまい対応ができることになるわけです。

教師と医師をめぐる変化

さらに付け足しておきましょう。

繰り返しますが、苦情やクレームにさらされたとき、教師や医師には、うまく対応ができず、悩んでしまう人が多いようです。これまで「先生」と呼ばれ、尊敬を受けてきたわけですから、一転して苦情を言われる側に立たされると、どうしていいのかが分かりません。頭を下げる経験も少なかったでしょうから、お詫《わ》びの仕方からして、うまくないのです。

組織的な大きな違いは、学校には校長も副校長もおり、相談もできるし会議も開けます。しかし、医院の多くは個人医院であり、相談窓口がほとんどなく、医師自身が対応責任者であることでしょう。

苦情クレーム対応アドバイザーとして、たまたまご縁があるこれらの世界、そこには共通した点があります。

まずは、教師・医師ともに、申し入れに対し、あまりにも「まじめ」に取り組みすぎてしまう、ということです。

次に、今までは教師・医師ともにいわば聖職で、立派な人が多かったのでしょうが、最近では、悪人も出現しているということです。

教師であれば、平気で「いじめ」に加担したり、わいせつ行為で捕まったりしています。また医師であれば、不正な保険請求やカルテの改ざん等医療法規違反をする者があとを絶たなくなっています。

そうしたことから、世間の信用を落とす結果になっているのです。クレームや苦情が平気で寄せられることになった背景には、これらを含めた「権威の失墜」があるのでしょう。

「苦情」の講演や研究を続けていると、多くの人が苦情で病んでいるのが分かります。しかし、彼らは不勉強であることも事実で、苦情と苦情の対応というものをもっと学んでほしい、と痛感せざるを得ません。

そして、苦情の対応では、相手の心理へ入り込まないと、解決に影を残すことにもなります。

次章では、百貨店での苦情対応の技法について、取り上げてみました。これが教師・医師だけでなく、さまざまな職業に就く人にとって、道標になり、悩みを一日も早く取り去り、少しでも軽くなるようにと願ってまとめてみました。

企業として、法人として、個人として、心から満足できるためには、「苦情」を挟んで対面した者同士が、屈託のない笑顔で会話ができるようになることです。どうか、表面だけでは解決できないこの世界をじっくり覗《のぞ》いてください。

第三章

クレーム対応の技法

本章では、私の体験から得た、苦情対応、クレーマー対応の基本姿勢を紹介します。百貨店での対応のエッセンスを書いていますが、もちろんどの世界でも、充分応用できると思います。現代社会は「苦情社会」なのですから。

まずは、誰もが実践してほしい基本的対応を箇条書きにしてみます。くわしい説明は、次頁以降に行います。

【基本的対応】

1. 非があれば、真摯《しんし》な態度で謝罪をする。
2. お客様の申し出は、感情を抑え素直に聞く。
3. 正確にメモを取る。
4. 説明は、慌てず冷静に考えてする。
5. 現場を確認する。
6. 対応は迅速にする。
7. 一般の苦情客を、クレーマーに仕立てない。
8. 苦情対応は平等に。

1 非があれば、真摯な態度で謝罪をする

クレームや苦情になるということは、だいたいこちらに非があるはずです。そうなると謝罪をしなくてはなりません。

謝罪の仕方にも、重要なポイントがあります。

対面している場合で説明します。まずは、「言葉」であり、次にお辞儀を含む「態度」、そして「表情」です。

言葉は、一つ一つ慎重に選び、決して感情を害さないものを使います。言葉一つで二重苦情に発展することは、よくあります。

次は、態度です。やや背を丸めて、頭を少し前に、目はお客様の鼻先辺りを見ます。時々目線をやわらかく合わせることを、忘れないでください。

最後は表情です。表情は、本心から「申しわけない」と思ったときは、自然と出ていますので心配ありません。一方、少しでも疑心があるときは、顔に出て、それは見抜かれてしまい、いつまでたっても収束しないことがあるので、注意が肝心です。

百貨店・苦情処理の現場から　コラム1

★相手が名前・住所を言わない場合

「お名前をお聞きしないことには対応ができかねます」と言います。

「なんで名前が必要なんだ」と言われた場合は、

「ハイ、記録を残さないと、上司への報告ができません。ぜひお名前とご住所をお聞かせください。お願いします」と言いましょう。

●お客様は、住所・氏名を名乗ることによって冷静になり、しっかりした話をしていただけて、こちらの対応も充分とれるようになります。

2　お客様の申し出は、感情を抑え素直に聞く

お客様の発する言葉は、大体がきついものです。

それは、「私は怒っています」という表示でもあります。しかし、対応の仕方としては、その感情につられてはいけません。

その感情をまともに受けると、表情がどうしても強《こわ》ばり、お客様を見る目が厳しいものになり、時間がたつにつれ睨《にら》んでいるような結果になります。

その防止策は、ともかく素直に聞くことです。

素直に受けることで相手の感情も収まってきます。

3 正確にメモを取る

これはクレーム・苦情対応の基本です。

その割に、これが実行できている人が少ないことに驚かされます。メモは遠慮してはいけません。聞き逃したこと、分からない言葉は、聞きなおして確認します。

とくに5W（なぜ、何を、誰が、どこで、いつ）は正確に聞いてください。また、電話番号や住所は必ず最後に復唱しましょう。落ち着いて話すことができる状態なら、内容もすべて復唱します。

復唱のさいも、謝罪すべきところでは、謝罪の言葉を挟みながら確認すると、だいぶ和らいだ感情になります。

とくに、ヤクザなど怖い人やその筋の人のクレームや苦情は、複数人で記録をして必ず確認してください。

百貨店・苦情処理の現場から　コラム2

★店長を呼べ、と言われた場合

「私が全権をあずかって対応させていただいております」

「なぜ店長が出てこない」

「私が対応させていただき、店長には報告いたしますので、必要ございません」

●ここでは、言葉だけで言ってもなかなか譲歩していただけないことが多いものです。しかし態度・言葉ではっきり表すと、案外話し始めてくれるものです。

4 説明は、慌てず冷静に考えてする

クレームや苦情を申し入れられたさい、こちらから説明しなければならないことがあります。また、相手の誤解を訂正していただく場面も出てきます。

そんなときは、最高に神経をつかうときです。

説明は正直にすること。その場限りの対応は、のちに必ずこじれます。

訂正に関しては、「あなたが言っていることは違います」ということですから、これを伝えるのは神経をつかうし、できうれば避けたいものです。

しかし、そこで避けると、先に行って変更するのはもっと困難になるので、慎重の上にも慎重に言葉を選んで、伝えなくてはいけません。

たとえばこんな言い方です。

「先ほどお叱りをいただいた△△の点でございます。確認はしてみますが、私どもでは○○と理解しておりました。改めてご報告させていただきます」

このように大量の形容詞を使い、へりくだった言葉づかいで、やわらかく聞こえるようにします。

5 現場を確認する

これは、事故や電話苦情のさいには必ず行ないます。

現場とは、場所だけでなく、担当した社員やその周りにいた社員が見た事実を確認することです。

私は駆け出しの頃、数回、お客様から叱られました。

「責任者として謝罪に来たのに、肝心なことは聞いていないのか」と。

とにかく、「早く処置したい」という気持ちが先行し、接客した担当者から些細なひと言を聞き逃したために、逆に苦情が膨らんでしまう例もありました。

百貨店・苦情処理の現場から　コラム3

★やめさせろ、と言われた場合

「お客様のご意向は分かりましたが、社員のことは当社で決めさせていただきます」

さらに、しつこく言ってきたら、「お客様のおっしゃることはよく分かりましたが、お客様から指示を受けることではございません」ときっぱり言い切りましょう。

●しかし、ここまで言われる販売員は徹底して調べておく必要があります。きっと対応の中で、何か大きな失言をしていることが多いのです。

それ以来、クレームや苦情に立ち向かうさいは、担当者からできるだけ詳細に、経過と状況を聞き、全体像を把握して臨むことで、お客様の不満まではっきり見えてくるようになります。そうなると対応は的を射て、信頼の復活に結びつきます。

6　対応は迅速にする

早ければそれに越したことはないのですが、正確さも要求されます。

クレーム・苦情にもさまざまなジャンルがあり、なかでも急がなくてはならないものは、事故・食中毒・針混入・指定配送・冠婚葬祭関連などです。

どんなクレーム・苦情も迅速が一番ですが、常に正確な対応、そして、その問題の適切な解決策をもって臨むことが基本になることも、忘れないでください。

7 一般の苦情客を、クレーマーに仕立てない

クレームや苦情の対応で、相手をクレーマーに仕立てることは、絶対あってはなりません。顧客の権利は法的にも上昇の一途をたどり、どの業界でも非常に強くなってきています。それに向きあう企業側は、本業があり、苦情対応セクションのレベルは上がっていないと言えます。

そのため、お客様のクレーム・苦情に対して、対応が長引くことを避けるため、または、知識の不足を隠すために、つい過剰な反応をしてしまいます。

私は、「苦情の対応は、紙一重の満足が顧客の信頼につながる」と感じています。顧客は、自らが望む対応とほぼ同じことをされると、安堵《あんど》するものです。クレーマーも最初は普通のお客様だったのです。

しかし、本物のクレーマーになれば、もはや顧客ではありません。徹底した対応で排除してよいと考えています。

百貨店・苦情処理の現場から　コラム４

★苦情処理は「勝ったら負け」

お客様の苦情を受けた場合、どんな言いがかりでも、ひととおりお聞きします。それも真摯《しんし》な態度で肯定的にお聞きすることを、おすすめします。

当方には非がなくても、お客様は責め立ててくることが多々あります。そんなときもじっと我慢をして、すべてをお話ししていただくことが、お客様の気を収める最初の仕事です。

聞く側の態度としては、相づちの打ち方も充分勉強しておきましょう、それによって解決の糸口が見つかることもあるのです。

最後は、ニコニコ。「またのご来店をお待ち申し上げております」。

8 苦情対応は平等に

販売時も苦情時も、お客様への対応は平等に、というのは基本的な前提です。

百貨店にも常連客はいます。ある売り場に顔見知りのお客様が来店したとします。そこには一見《いちげん》のお客様もいて、販売員の態度が違うことに立腹して苦情になることがよくあります。

販売員には大きな落ち度はないのです。なぜなら初めてのお客様になれなれしい態度もとれないし、趣味や好みもまだ知らないのですから。

それでもお客様は平等を望みます。それに

は、売る側の慎重な気づかいを持った接客が必要だということです。

クレーム・苦情への対応もまったく一緒です。

＊　　＊

「誠意ある対応」とはどういう態度か
現場で起きたクレームや苦情は、なるべく現場で解決する、という心構えで臨みましょう。決して最初から上司を頼りにしないことです。

「私の責任で対応させていただきます」という気持ちを強く持って臨むことで、自ずと慎重になり、敬語や謙譲語も使い分けられるようになります。

相手はそこに誠意を感じてくれます。

この場合の「誠意」とは、具体的に以下のようなことを指すのだと考えます。
1．謙虚な気持ちで丁寧なお辞儀。
2．苦情を聞くときは、「拝聴する」という気持ちで臨む。

百貨店・苦情処理の現場から　コラム⑤

★相手の狙いを悪いほうに想定して臨め

どんな苦情にもいくつかの対応の仕方があります。しかし、基本の対応の仕方は決めておくべきでしょう。日常茶飯事に起こる苦情ならなおさらのことですが、それは早く改善してしまうことが先です。

年に一回あるかないかの特殊な苦情には、基本対応なんてないのが常でした。

そのさいは、相手の狙いを悪いほうに想定して臨めば、結果として、外れても楽なほうに外れることになります。要は気の持ちようですね。

3. 必ずメモを取りながら聞く、聞き逃したら確認させていただく。
4. 話の腰を折らない、反論はしない。
5. 苦情を言う心理を教えていただく、という感謝の気持ちで接する。
6. 記録したことは、必ず復唱・確認する。

以上の気持ちが相手に伝われば、解決への道はぐっと近づきます。

なお、苦情対応を上手《うま》くやるには、「申し出のお客様を絶対に失望させない」、という気持ちを持って臨むことが肝心です。心の中で少しでも「苦情かぁー」と思った瞬間から、相手に対して隔たりができてしまい、それは結局、相手に察知されます。

「申しわけないことをした」

「大事な時間を台なしにした」
「恥ずかしい思いをさせてしまった」

これらは、起きてしまえばもう取り返しのつかないことですが、非は非として心から詫びる誠意ある対応が、結局は良い結果をもたらします。

詫びる姿は、「謙虚な気持ちで丁寧なお辞儀」と書きました。さらに付け加えれば、「相手だけを意識した姿勢」です。

謝罪をする者が、周りのお客様や他の社員の目を気にしながらでは、相手に謝罪の気持ちが伝わるはずもなく、結果として収まらないことになります。周りからどう見られているのか、と心配する意識は、かえって解決を遠のかせます。

謝れなかった失敗例

大阪での出来事です。ある店舗で、常連の顧客から、ゴルフパンツの裾《すそ》上げの技術に対して苦情になりました。

「なんなの、これは！　あれほどキチンと直してって言ってたのに。ほつれたり、長かったり。もうあんたのところではパンツは買わない！」

百貨店・苦情処理の現場から　コラム6

★「立場の違い」を心得ておくことが重要

お客様とお店では立場が違います。そこにはすぐ法律が入り込むことはありません。さらに、お客様をつなぎとめることが大前提としてあるわけですからなおさらです。

お客様相談室のやり甲斐はここにあったと思います。

これほど常時、緊張感を持って仕事にあたったことは他にないでしょう。その意味で、「お客様相談室」の経験は素晴らしいものでした。

でもときとして、「ふざけんな、馬鹿やろう！」と怒鳴りたかったことも数十回ありました。

そんなときは、トラブルを法律で解決できる職場は、うらやましく思えました。

あまりに大きい声なので、そこにいた全員がこちらを見ました。

対応した責任者は、冷静に対応できませんでした。恥ずかしいのもあいまって、腹立たしさがこみ上げます。部下や後輩の前で、まるで自分が失敗したかのような形にされてしまったのですから。

そして、つい言い返してしまったのです。

「いきなりそんなデカイ声で言わなくてもいいじゃないですか！　私が修理したわけじゃないんで、修理場の人に文句言ってきますから」

すると相手は、「そんなんどうでもええねん！　あんたが修理してもしなくても、実際こんなんやねんから謝《あやま》れ」と。

「謝りますけど、修理場の人を呼んでくるから、その人に文句言って」

最悪にも、お客さんとマジな喧嘩をしてしまったのです。

結局、そのお客さんは怒鳴ったことでストレスを発散したのか、「あんたが悪い訳《わけ》ちゃうけど、ここの修理はほんまにヘタクソやから客逃がすで、ってゆうといて」と言われ、もう一度やり直してお渡しすることで終わりました。

なにを隠そう、この失敗談の「責任者」はのちに店舗のエースとなった人です。

お客さんが、さらにでかい声になったのは、彼女の態度がそうさせたのに間違いありません。おかげで、店員はみんなオロオロするばかりでした。

今から思えば、冷静に、「申しわけありません。再度注意しておきます。念には念を入れてチェックしますのでお許しください」と、お答えすればよかったのです。

謝り方にもコツがある

あるとき、百貨店で謝罪現場を目撃しました。

その担当者は、入り口の受付カウンター脇で、お客様に長時間、何度も何度も頭を下げていました。そのときは、顔がにこやかなまま謝り続けているので、どうしたらあんな顔で接

百貨店・苦情処理の現場から　コラム7

**★販売当事者が、
実は苦情の原因に気づいていない場合**

なかなか解決できない苦情の一つに、販売当事者が苦情の原因に気づいていないことがあります。

そんなときは、未熟なだけなのか、個人の資質なのかを慎重に見極めることが大事で、それによって指導が変わるはずです。

ただし、お客様のほうがおかしい場合も、もちろんありますので、お客様の話だけを聞いて、一方的に指導するのは、その販売員との間に、大きな溝を作る原因にもなります。ご注意ください。

することができるのか、不思議に思ったものです。

のちに、その方に話を聞く機会がありました。すると、そのときの記憶はまったくないとのこと、ただ、苦情をいただいた顧客に謝罪をするのに、「周りなどまったく意識しないで行動するのが当たり前」とのひと言でした。

これがプロフェッショナルです。

苦情を申し出ても、対応がスムーズにいけばどなたも気持ちが収まるはずです。拡大する原因は、初期対応にあります。

よくある事例としては、緊張のあまり相手の言ったことを上手《うま》く理解できないようなときに起こります。

それ以外にも、対応する姿勢、商品の知識不足、常識の欠如、対応に費やす時間等で拡大します。

対応技術の未熟さに気づいたら、学び、次回に備えるべきです。
普通は、非を素直に認めることと、誠意ある対応でほぼ収まります。
なお、以下の行為が事を大きくする場合があるので、注意しておきましょう。

1. 非を認めない。
2. 言いわけをする。
3. 責任を転嫁する。
4. 苦情を聞く態度でない（言葉、眼つき、しぐさ）。
5. 反省の色がない。
6. 対応が遅い、または不充分。

「苦情震度」を記録する

「災いは忘れた頃にやってくる」という諺《ことわざ》は、今も生きています。

クレーム・苦情の報告を記録している企業が、だいぶ増えてきました。その内容は時間の経過、社員の転勤や移動などで、当時の状況を知る人が徐々にいなくなるからです。

百貨店・苦情処理の現場から　コラム8

★やんわりと気づかせる工夫

お客様が指摘したことでも、間違いは間違いです。これをやんわりと気づかせることが大事です。決して頭ごなしに「間違っていますよ」という感じを与えてはいけません。

そのうえで、失礼のない謝罪をするのが、正しい対応だと思います。賢い消費者なら、自分の間違いに気づいていただけます。

私のいた会社には、謝るだけで解決しようとした上司や部下がおりました。それはお客様をダメにしてしまう最悪の処理法です。

しかし、報告書を書くとき、分かりやすくするために、社内用語や専門用語に置き換えて書く傾向があります。

それは、顧客の「生の言葉」を変えてしまう結果となり、怒りの度合いが伝わりにくくなります。

これを避けるためには、たとえば職場内で、「苦情震度表」というものを作成し数値化しておくことが必要でしょう。のちに誰が見ても苦情の強さ（大きさ）が分かり、分類や活用が容易《たやす》くできます。

震度の測定項目は、顧客の発する言葉、表情、態度を五段階に分けて捉え、職場ごとに決めます。

また、クレーム・苦情を活用するということは、苦情事例そのものでなく、その原因の点検ができるように突き止めて記録しておくことです。

点検すべきポイントを抜き書きしておくことで、

新人が見ても簡単に確認できるようにしましょう。

心理的変化の察知

非を認めたら、ただ謝罪することが解決への一番の近道です。謝罪の仕方によっては、逆に相手に気に入られて、後に顧客になってもらえることは少なからずありました。

ただし、「ただ謝罪する」という手法は、新人かせめて二年目くらいの未熟な販売員のみに許される行動です。

では、ベテランはどうするか？

こちらはスマートに解決したいものです。「お客様の気持ちになって」解決することです。

それは、よりくわしくは、「不満発生から現在に至るまでの、相手の心理的変化を察知する」という難しい技なのです。この技法さえあれば、クレーム解決、苦情解決の確率はぐっと高くなります。

たとえ、商品の瑕疵《かし》が原因の苦情でも、隣り合わせに心理的不満が存在するものなのです。

対応力のある人は、短時間でそれを突き止めることができます。

百貨店・苦情処理の現場から　コラム９

★相手よりわずかに下の位置、が解決のポイント

苦情の対応にたくさん当たるなかで気づいたことですが、お客様との会話では、へりくだりすぎてもいけません。もちろん対等もいけません。

どんな場合に一番解決が早いかというと、相手よりわずかに下の位置にいたときが一番早かったように、記憶しております。きっとお客様に本気でお応えしているという気持ちが、心地よく伝わったものと思います。

苦情でない苦情

クレーム・苦情が発生するときは原因があり、それを伝える手段として言葉があります。その対応は、原因を突き止め説明をすることになります。

クレーム・苦情を申し入れる側は、「嫌な思いをした」「損をした」「差別された」等の被害を感じており、対応としては、補償の問題に発展するもの、弁償するもの、謝罪で済むもの、に分かれます。

なかには、お客様が納得せずに物別れもありますが、これはまれです。どちらにしても、苦情の申し入れには真剣に対応することが基本で、なんらかの解決策はあるものです。

ところが最近、世の中にはもっと別の苦情があることが分かりました。「苦情でない苦情」です。

前出した苦情例を使って、説明しましょう。

●「なんで、あんな、やぶ医者に診《み》せたんだ」

校内でけがをした生徒の手当てを校医がして、帰宅させたところ、保護者からこんな苦情が来ました。この問題を、読者のみなさまはどう受けとめますか。

お断りしておきますが、学校でも正常な苦情やご意見はたくさんあります。それらの多くは解決されているのです。ここに、例題として出したものは、普通の苦情と違い、教師が判断に困るものを提示しております。

この申し入れを受けた担任の先生は、どう説明するのでしょうか。また相談を受けた副校長は、担任の先生にどうアドバイスするのでしょうか。

この苦情を受けても、何を言いたいのか、どうしてほしいのか、判断に困ります。たとえ訴えると言われても、謝りようもありません。

このときはまず、「これから、どうしたらよいかご意見をお聞かせください」と応じます。意見を聞くに留めておければ、それに越したことはありません。

クレーム・苦情対応にはいつも、相手の心理を読む必要があります。この場合に考えられる心理はたくさんあると思いますが、ここでは極論を掲示します。

百貨店・苦情処理の現場から　**コラム 10**

★大きな声を出された場合

大声に驚き慌てて謝罪をしないことが大事です。時と場合によっては、お客様より大声を出すことも必要でした。たかりや恐喝の場合です。(本書第一章の事例のなかでも紹介しました。131頁)

「お客様、そんなに大きな声でなくとも聞こえております」

これは案外効果がありました。相手は、百貨店のお客様相談室の係員が大きな声を出すとは、まったく予測していないのでしょうね。

＊この家庭は、ここの校医となんらかのトラブルがある、またはあった。
＊この保護者と校医の夫人の仲が悪い。
＊保護者の噂《うわさ》では評判のよくない校医となっている。
＊同じ地区に近しい関係(たとえば親戚)の医院が存在する。
＊そこの医者は、校医になりたがっている。

とこんな具合でしょう。

では、その対応です。しつこく苦情をくり返す相手に毅然として臨むなら、こうなります。

「それは申しわけございません。○○医師が〝やぶ〟だとは知りませんでした。ところで、よろしかったらどんなところが〝やぶ〟なのか教えてください。学校医として問題があるようなら、しかるべき委員会に掛け検討したいと思います。できる限りくわしく教えてください。

また、充分に注意はしますが、今後ご子息に事故が発生した場合は、そちらで医院を指定してください。そのため、常にご連絡が取れるようお願いします。そして、連絡が取れない場合は、どのようにしたらよろしいのか、できれば書面にていただければ、今後の引き継ぎにも役立ちます」

この程度の対応をしないと、イチャモンのような「苦情」を言ってくる保護者には、効果はないでしょう。

実はこれは、苦情ではないと私は思います。なぜなら、先にも書いたとおり、対応する手段がなく、何もしないでも収まるものだからです。真剣に取り組まないことも、苦情対応の一つの手法だといえます。

こんな「苦情でない苦情」は、世の中にはたくさん転がっているようです。大事な点は、その申し入れに返事をすべきか否かを判断できる能力をつけておくことです。

「負の勲章」のありがたさ

残念ながら、苦情対応の技法は「失敗」して初めて身につくようです。ですから、苦情が

百貨店・苦情処理の現場から　**コラム 11**

★「誠意を見せろ」に要注意

よく言われる言葉に「誠意を見せろ」というのがあります。

そんな場合は、どういう答えをしても、「それだけか」という言葉がついてきます。

そんなときは、遠慮なく、「誠意」の見せ方を、逆にお客様にお尋ねしましょう。自分からは「何々をする」などと絶対言わないことです。

だいたい「誠意を見せろ」とは、本来ヤクザが使う言い方です。この頃は素人も平気で使います。いやな時代になりましたね。

発生したら力《りき》まず、肩の力を抜いて臨むことで理性が働き、相手の言葉もよく理解できるようになります。また、いっときは対応が成功したように感じても、数日、数か月経つと対応の細かな失敗に気づくものです。

この気づきこそが、成長のあかしです。これは人間同士の付き合いが基本の社会において、あなた自身の大きな財産となります。苦情対応の多さや大きさは競うものではありませんが、その事実は消すことのできない「負の勲章」なのです。でも、せっかくいただいた勲章ですから、正しく記憶して生かして使いましょう。

苦情を減らすことはできても撲滅するということは不可能です。しかし、減らす努力は継続すべきです。

そのためには、なにより苦情というものの本質を知ることが欠かせません。苦情は言うほうだって、「できるなら言いたくない」のです。それでも、我慢できない不満や被害があったときに、申し出てくるわけです。だから、相当なレベルのものだと考えなくてはいけません。発生した不満もすべて申し出があるわけではなく、ごく一部が声となって届きます。

ということは、一つの苦情の裏には苦情にならない苦情がたくさんあり、顧客は意を決して問題提起してくれたのです。その対応をおろそかにすることはできません。有名な「グッドマンの法則」によれば、一人の苦情を言う人の背後には、二六人の同じ苦情を持つ人がいるそうです。

たった一人からの苦情だといって、蔑《ないがし》ろにしてはいけません。

そして、どんな些細な苦情にも全身全霊を注《そそ》いで対応を図らなくてはならないし、記憶しなくてはいけないのです。

あとがき

脳科学者・茂木健一郎さんの『すべては脳からはじまる』（中公新書ラクレ）のなかに、人間が成熟したかどうかの一つの目安は、どのくらい人の話を聞けるかにあり、人間の心の機微が分かり、相手を思いやることができなければ、人の心をつかむ話し方もできない、というくだりがありました。

まさに、苦情対応の世界にもぴったり当てはまることです。

苦情学は、緊張を強いられる攻防戦のなかで、相手の話を充分に聞いて、攻撃してくる相手を逆に思いやりながら、相手の心の機微をつかんで解決するまでのプロセスそのもの。それが人間学といわれるゆえんでしょう。

本書は二〇〇六年一〇月に刊行した『苦情学』（恒文社）に続く、二冊目の書き下ろしとなります。『苦情学』が百貨店勤務のプロ向けの専門技術を扱った本だったのに対して、本書『となりのクレーマー』は一般の方にも興味を持って読んでもらえる本、という位置づけです。そのため、前著にて紹介したエピソードの一部、内容の一部が本書にも紹介されています。本書を読んだうえで、より専門的に知りたい読者は、ぜひ『苦情学』のほうもひもといてみてください。

なお、本書に登場した事例はすべて、実際にあったものですが、プライバシーに配慮して若干の脚色をほどこしていることをお断りしておきます。

前著『苦情学』出版後、多くのメディアから出演や原稿執筆の依頼をいただきました。それに取り組んでいくうちに、それまで言葉として記録するには至らなかったクレーム・苦情対応の方法が数多くあることに、改めて気がつきました。あるいは、前著では、書いてしまうことを無意識のうちにためらっていたのかもしれません。

これらは本書で、踏み込んで紹介されています。

また、前著を書いたときは、私自身、クレーム・苦情対応の極意をひととおり身につけているものと、勝手に思いこんでいました。しかし、その後の活動で、まだまだ未熟であったことを知ったのです。

それまで私がクレーム・苦情対応を経験し、その技法を学んできたのは百貨店の世界です。確かに百貨店はクレームや苦情が日常的に襲ってくるところでした。ありとあらゆるクレーム・苦情に対応し、ときにはクレーマーとの対峙をしなければなりません。百貨店のクレーム・苦情対応では、現場でさまざまなことを学び、諸先輩や同僚からも教えを受けてきました。

その後、私は、百貨店の世界から離れて、さらにクレーム・苦情の内容と質が多様な世界で、新たな仕事をするようになりました。そこに導いてくださったのは、歯科医師や教師の方々でした。

「苦情」を言われて困っている人は、今の時代、世の中にたくさんいる。

苦情解決の方法を身につけなければならないのは、必ずしも百貨店の世界だけではない。

――そんなあたりまえのことから、学び直すことになりました。

たくさんの業界の方々が、クレーム・苦情解決の処方箋を求めていることがわかりました。そこでクレーム・苦情対応を経験するうちに、「現代的な人間関係」がたくさん見えだしました。これらの体験を重ねることで、現在では、クレーム・苦情対応で、いわば「応急処置をする医師」のような立場に立たされていることも、珍しくなくなったのです。

こうした経験によって得た知見は、そのエッセンスを本書に書き記しています。

なお、ここで、私を新たなクレーム・苦情対応の世界に導いてくれた一人一人のお名前を連記して、感謝の意を示したいところですが、あまりにも関係された方々が多く紙幅を越えてしまうので、失礼させていただくこととします。


新書にて著書を刊行しないか、と声をかけてくださり、原稿の構成等にご指導をいただいた横手拓治編集長には、この場を借りてお礼を申し上げます。ありがとうございました。

「苦情学は人間学」だと本書「はじめに」の副題にも記しましたが、クレーム・苦情対応は、人間の把握ということが前提となり、まだまだ奥が深いところのあることを感じます。

「人と人だからこそ、いつかは分かり合える」という未踏の地を求めて、クレーム・苦情対応の世界を、私はさらに前へ前へと進むつもりです。

「苦情で悩むことなかれ！」

平成一九年五月

著者

中公新書ラクレ　244

となりのクレーマー
「苦情《くじょう》を言《い》う人《ひと》」との交渉術《こうしょうじゅつ》

2007年5月10日初版
2007年6月15日4版

関《せき》根《ね》眞一《しんいち》　著

発行者　早川準一
発行所　中央公論新社
〒104-8320
東京都中央区京橋2-8-7
電話　販売 03-3563-1431
編集 03-3563-3669
URL http://www.chuko.co.jp/

本文印刷　三晃印刷
カバー印刷　大熊整美堂
製　本　小泉製本

定価はカバーに表示してあります。
落丁本・乱丁本はお手数ですが小社販売部宛にお送りください。送料小社負担にてお取り替えいたします。

Published by CHUOKORON-SHINSHA, INC.
Printed in Japan

ISBN978-4-12-150244-5　C1236

中公新書ラクレ刊行のことば

世界と日本は大きな地殻変動の中で21世紀を迎えました。時代や社会はどう移り変わるのか。人はどう思索し、行動するのか。答えが容易に見つからない問いは増えるばかりです。1962年、中公新書創刊にあたって、わたしたちは「事実のみの持つ無条件の説得力を発揮させること」を自らに課しました。今わたしたちは、中公新書の新しいシリーズ「中公新書ラクレ」において、この原点を再確認するとともに、時代が直面している課題に正面から答えます。「中公新書ラクレ」は小社が19世紀、20世紀という二つの世紀をまたいで培ってきた本づくりの伝統を基盤に、多様なジャーナリズムの手法と精神を触媒にして、より逞しい知を導く「鍵《ラ・クレ》」となるべく努力します。

2001年3月